Y0-CAX-935

Collection dirigée par Alain Bentolila et Georges Rémond

Martine Descouens
Institutrice

Jean-Paul Rousseau
Directeur d'école d'application

CAHIER D'EXERCICES 2

Cycle des apprentissages fondamentaux 2e année

CP

Gafi le fantôme

Illustré par Mérel

NATHAN

Le papier de cet ouvrage est composé de fibres naturelles, renouvelables, fabriquées à partir de bois provenant de forêts gérées de manière responsable.

Conception : Elisabeth Maréchal

Mise en pages : Horizon Graphique

Couverture : Les Devenirs Visuels

Calligraphie : Nicole Vilette

Illustrations : Mérel

Edition : Sylvie Cuchin

Droits de reproduction

p 84 hg : *A l'abri des châteaux du Moyen Age,* © Hachette jeunesse ; p 84 bd : *Première encyclopédie questions-réponses 6/9 ans, Les châteaux forts* © Ed. Nathan; p 85 : textes et illustrations extraits de *Première encyclopédie questions-réponses 6/9,ans, Les châteaux forts,* © Ed. Nathan ; p 87 : annonceur Balsen Chokini, agence TBWA ; annonceur Vag, agence DDB NEEDHAM ; annonceur : Astra Calvé, agence LINTAS PARIS ; p 88-89 : illustrations de Jacques Kamb.

DANGER
LE
PHOTOCOPILLAGE
TUE LE LIVRE

"Le photocopillage, c'est l'usage abusif et collectif de la photocopie sans autorisation des auteurs et des éditeurs.

Largement répandu dans les établissements d'enseignement, le photocopillage menace l'avenir du livre, car il met en danger son équilibre économique. Il prive les auteurs d'une juste rémunération.

En, dehors de l'usage privé du copiste, toute reproduction totale ou partielle de cet ouvrage est interdite".

© Nathan, 25 Av. Pierre de Coubertin 75013 Paris – 1992 pour la 1ère édition
ISBN 978-2-09-120270-9
© Nathan, 2015 pour la présente édition

AVANT-PROPOS

Ces cahiers d'exercices sont un des éléments de la méthode Gafi le fantôme. Ils ont été conçus **afin de donner à tous les élèves le maximum d'atouts pour réussir** leur apprentissage de la lecture. Pour ce faire, ils proposent des parcours d'entraînement qui s'organisent selon deux **démarches complémentaires** :

• développer la capacité à *identifier les indices* que contient un texte : les lettres qui composent les mots et dont la combinaison doit être maîtrisée ; les mots qui composent les phrases et dont l'organisation est essentielle pour construire le sens.

• mobiliser l'ensemble des connaissances que possède l'enfant et qui lui permettent de *raisonner* sur la plus ou moins grande prévisibilité de tel ou tel mot, de telle ou telle construction de sens, en somme, de *faire des hypothèses* et de développer face à l'écrit un comportement actif de recherche.

Pourquoi ces deux démarches sont-elles complémentaires ?

• Si l'enfant ne sait pas identifier très précisément les indices donnés par le texte, il ne pourra, en aucune façon, contrôler les hypothèses qu'il formulera : il risque alors de deviner plutôt que de lire.

• Si l'enfant ne s'appuie pas sur ses connaissances de la langue et du monde, il restera extérieur à un texte dont il ne s'appropriera pas le sens.

Les parcours d'entraînement, qui sont proposés systématiquement sur une double page, sont structurés de la façon suivante :

• la page de gauche favorise l'entraînement à la prise d'indices visuels et auditifs : discrimination de lettres et de sons, reconnaissance de combinaisons, maîtrise de la combinatoire, mémorisation de mots...

• la page de droite privilégie les stratégies de résolution de problèmes en proposant de prendre en compte le contexte, de formuler des hypothèses de sens et d'anticiper.

Lors de l'apprentissage de la lecture, chaque enfant va, à des moments différents, s'appuyer sur tel ou tel type de stratégie de découverte.

En outre, des séquences d'activités autour de l'écrit, explicitées dans le guide pédagogique invitent l'enfant à un passionnant parcours-promenade sur les sentiers de l'écriture.

Il nous paraît donc essentiel de ne rien négliger afin que soient donnés à l'élève tous les outils qui, par leur complémentarité, l'amèneront à la conquête de l'écrit.

Les auteurs

séquence 46

1 Il y a autant de ronds que de sons. Colorie les ronds du son **d**.

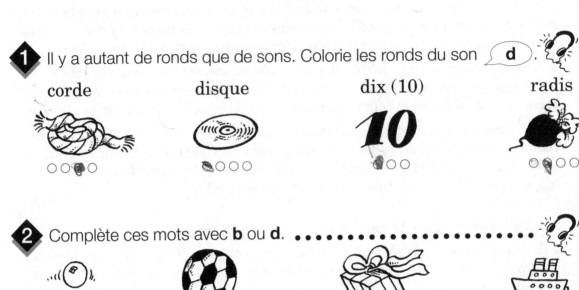

corde   disque   dix (10)   radis

2 Complète ces mots avec **b** ou **d**.

.bulle   ..ballon   ca...eau   b.ateau

3 Mets une croix sous la lettre encadrée chaque fois que tu la vois.

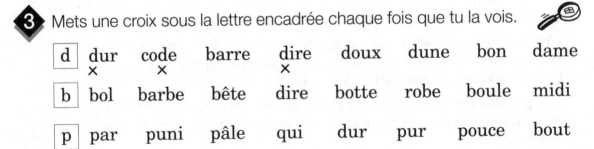

d	dur	code	barre	dire	doux	dune	bon	dame
	×	×		×				

b	bol	barbe	bête	dire	botte	robe	boule	midi

p	par	puni	pâle	qui	dur	pur	pouce	bout

4 Sur les pancartes jumelles, entoure les deux intrus.

le dos   les dés   départ   départ
tu dis   le dos   depuis   des pots
les dés   il dit   dépôt   depuis

4

5 Choisis le bon mot pour chaque phrase. ••••••••••••••••••••••••••••

Mélanie répare les < pédales / pétales > de son vélo.

Rachid écoute un < bisque / disque > de rock.

Mon papa < douche / bouche > un trou dans le mur.

6 Ecris le numéro de chaque phrase sous son dessin. ••••••••••••••••

◯ ◯ ◯

① Pascale met une hélice à son caddie.

② Arthur attache son caddie à celui de Pascale.

③ Arthur monte dans son caddie avec Gafi.

7 Mets les points qui conviennent : **.** ou **?**. ••••••••••••••••••••••

Est-ce que le caddie de Pascale a une hélice

Oui, il a une hélice

Avec sa machine, Pascale double tous les autres caddies

Que va dire la dame à la caisse

séquence 47
cr vr dr

1 Il y a autant de ronds que de sons. Colorie les ronds du son (r).

drapeau
○ ○ ○ ○ ○

dragon
○ ○ ○ ○ ○

arc
○ ○ ○

cadre
○ ○ ○ ○

2 Complète ces mots avec **r** ou **l**. ●●●●●●●●●●●●●●●●●●●●●●●●●

c..ou

c..apaud

c..abe

c..é

3 Souligne la suite encadrée chaque fois que tu la vois. ●●●●●●●●●

| vr | <u>vr</u>ai | li<u>vr</u>e | lèvre | larve | pauvre | ivre | virer |

| dr | drap | mardi | cadre | cidre | pardon | dresser | poudre |

| cr | cri | écriture | crâne | crosse | merci | sucre | parc |

4 Sur les pancartes jumelles, entoure les intrus. ●●●●●●●●●●●●●●●

drap
drapeau
cadre
poudre

drapeau
drap
pondre
cadre

livre
lèvre
lever
livrer

lièvre
livrer
lever
livre

6

5 Choisis le bon mot pour chaque phrase. ●●●●●●●●●●●●●●●●●●●●●●●●●●

Il parle dans un ⟨ microbe.
⟨ micro.

Pascale ⟨ écrit
⟨ écoute ⟩ une lettre avec un stylo.

Mélanie joue à la corde à ⟨ sauter.
⟨ saler.

6 Ecris le numéro de chaque phrase sous son dessin. ●●●●●●●●●●●●●●●●●

◯   ◯   ◯

① Arthur apporte un disque à Pascale.

② Rachid et Mélanie apportent un livre à Pascale.

③ Rachid regarde le cadre de Gafi.

7 Mets les points qui conviennent : **.** ou **?**. ●●●●●●●●●●●●●●●●●●●●●●●

Mélanie apporte un disque à Pascale

Est-ce que son amie va l'écouter

Oui, Pascale met le disque

Qui chante

an
am
séquence **48**

1 Il y autant de ronds que de sons. Colorie les ronds du son ⟨ **an** ⟩.

banc   ampoule   éléphant   tente

○ ⊘   ⊘ ○ ○ ○   ○ ○ ○ ⊘ ⊘   ○ ⊘ ○

2 Souligne la suite encadrée chaque fois que tu la vois. ● ● ● ● ● ● ● ●

| an | danse | maman | nappe | anse | tante | navire |

| am | mare | ampoule | ramper | chambre | champ | masse |

| na | natte | nasse | quand | nature | napperon |

3 Classe les mots dans le tableau. ● ● ● ● ● ● ● ● ● ● ● ● ● ● ●

quand - canard - ampoule - ami
piano - dame - chambre - plante.

	j'entends ⟨ an ⟩	je n'entends pas ⟨ an ⟩
je vois **an**	quand	canard
je vois **am**	ampoule	ami

4 Choisis le bon mot pour chaque phrase. ••••••••••••••••••••••••

Arthur s'est assis sur un ⟨ banc.
bon.

Les élèves sont en ⟨ rang / rond ⟩ car ils jouent à la chandelle.

Le petit merle fait son nid sur une ⟨ tranche / branche ⟩ de l'arbre.

Il fait nuit, allume la ⟨ lame.
lampe.

5 Complète avec ces mots : *lance - six - devant*. ••••••••••

Le château a _____ tours.

La reine est _____ le château.

Elle donne une _____ à Arthur.

6 Mets les points qui conviennent : **.** ou **?**. ••••••••••••••••••••••••

Un soldat arrive en courant

Que se passe-t-il

Le château est attaqué

Est-ce que Gafi et ses amis vont aider la reine

séquence 49

1 Il y a autant de ronds que de sons. Colorie les ronds du son an .

serpent   tambour   pantalon   balance

○ ○ ○ ● ○   ○ ● ○ ○ ○   ○ ● ○ ○ ○ ○   ○ ○ ○ ● ○

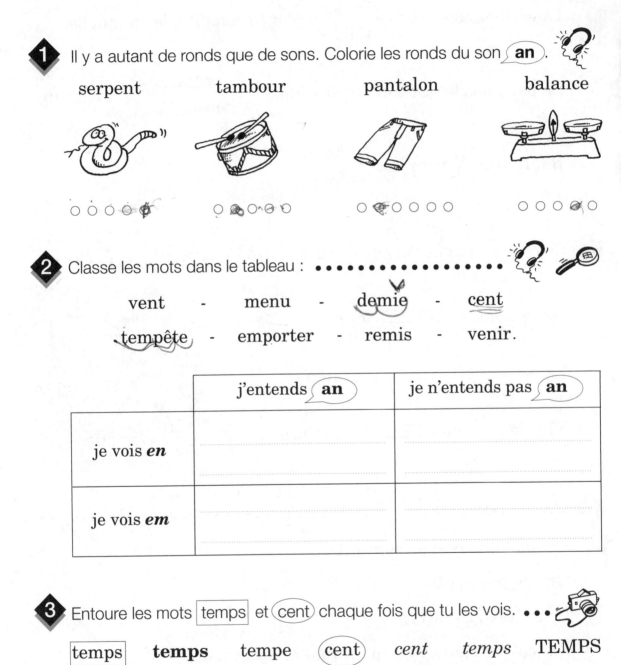

2 Classe les mots dans le tableau : • • • • • • • • • • • • • • • • •

vent   -   menu   -   demie   -   cent

tempête   -   emporter   -   remis   -   venir.

	j'entends an	je n'entends pas an
je vois **en**		
je vois **em**		

3 Entoure les mots temps et cent chaque fois que tu les vois. • • •

temps   **temps**   tempe   cent   *cent*   *temps*   TEMPS

TEMPETE   lent   *vent*   **CENT**   *cent*   cent   temps

10

4 Choisis le bon mot pour chaque phrase. ●●●●●●●●●●●●●●●●●●●●●

Ma petite poule a < pondu / pendu > dans son nid.

Le < cent / vent > souffle très fort.

Rachid me < rend / sent > le livre qu'il m'avait pris.

5 Complète avec ces mots : *lance - entrés - dents.* ●●●●●●●●●●●

Les attaquants sont _____

dans le château.

Mais Arthur _____

des pierres.

Un attaquant a les _____

cassées.

6 Mets les points qui conviennent : . ? ou ! ●●●●●●●●●●●●●●●●●●●●●●

Les attaquants se sauvent vite

Hourra le château est sauvé

Pour Gafi et ses amis, tout s'est bien passé

Vont-ils revenir chez eux

séquence **50**

Cette séquence renvoie aux activités proposées dans le guide pédagogique, séquence 50.

◆ Invente avec tes camarades d'autres mots-valise. Recopie et illustre ceux que tu as préférés.

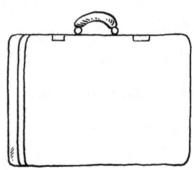

◆ À ton tour d'inventer des mots-valise. Illustre-les.

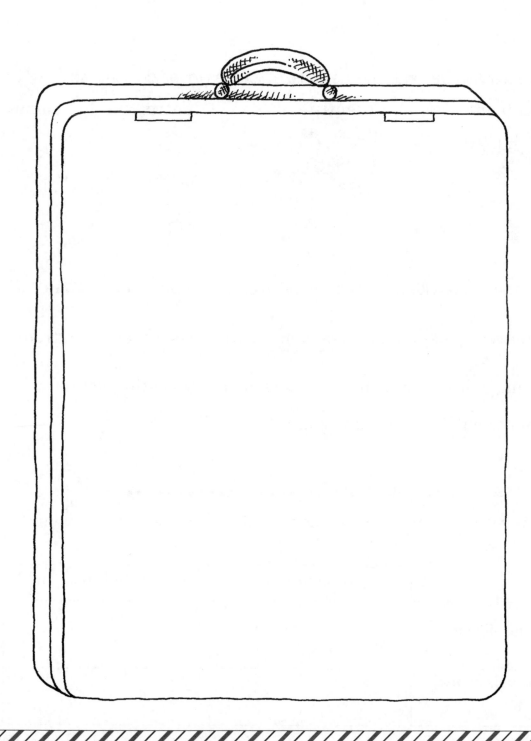

1 Il y a autant de ronds que de sons. Colorie les ronds du son (**an**).

antenne   dentiste   ancre   rampe

○ ○ ○ ○   ○ ○ ○ ○ ○ ○   ○ ○ ○   ○ ○ ○

2 Colorie en vert les mots encadrés si tu entends (**an**). •••••••••

| Souvent |, mes chats se | sauvent | quand mes | parents | rentrent .

| Quand | les enfants | perdent | une | dent | , les petites souris

| apportent | | souvent | une pièce.

3 Classe les mots dans le tableau. •••••••••••••••••••••

entrée - renne - mener - lent - benne - venir.

	j'entends (**an**)	je n'entends pas (**an**)
je vois *en*		
je vois *enne*		

14

4 Retrouve les phrases du texte. ●

Mélanie a perdu une dent, elle est
- contente.
- content.

« Les souris
- n'apportent
- n'endorment

rien du tout ! » dit Arthur.

Gafi se
- cache
- couche

à côté du lit et attend en silence.

 5 Souligne dans le texte les renseignements qui te permettent de répondre.

Mélanie ouvre son placard. Que va-t-elle croquer ?

Dans le placard de Mélanie, il y a : du sucre, de l'encre,

des bonbons, du savon, une brosse à dents, une poupée,

des assiettes et aussi une tablette de chocolat.

6 Mets sous chaque dessin le numéro de sa phrase. ● ● ● ● ● ● ● ● ● ● ● ● ● ● ● ● ● ●

1. Une souris tire un paquet.

2. Des souris tirent un paquet.

◯ ◯

3. Des chats sautent sur la table.

4. Un chat saute sur le lit.

◯ ◯

séquence 52

1 Il y a autant de ronds que de sons. Colorie les ronds du son (an) en **rouge**, ceux du son (on) en **jaune**. • • • • • • • • • • • • • • • • • • •

mouton

rampe

trompette

menton

○ ○ ○ ◉

○ ◉ ○

○ ◉ ○ ○ ○ ○

○ ◉ ○ ○

2 Choisis la bonne syllabe pour compléter chaque mot. • • • • • • • • •

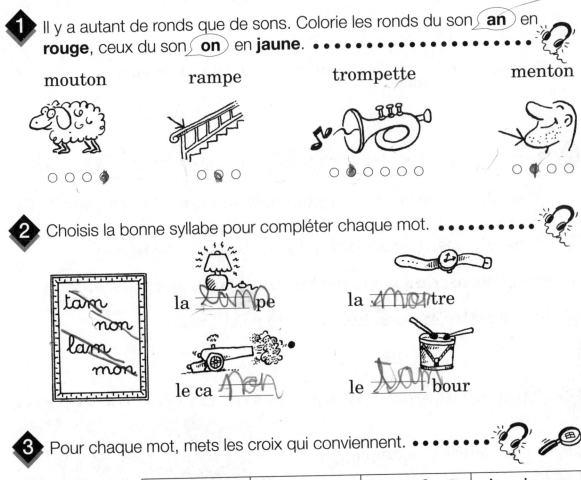

tam
non
lam
mon

la _tam_pe

le ca _non_

la _montre_tre

le _tam_bour

3 Pour chaque mot, mets les croix qui conviennent. • • • • • • • •

	j'entends an	je vois *an*	j'entends on	je vois *on*
pantalon				
caneton				
menton				
tombant				
anémone				

4 Choisis le bon mot pour retrouver l'histoire. ●●●●●●●●●●●●●●●●●●●

Rachid monte ⟨ derrière / devant ⟩ Pascale et Mélanie monte ⟨ derrière. / devant. ⟩

« C'est complet ! » crie Pascale en ⟨ tombant. / tremblant. ⟩

Tout le monde tombe dans un ⟨ chant / champ ⟩ de pommes de terre.

5 Souligne dans le texte les renseignements qui te permettent de répondre.

Que faut-il pour fabriquer un vélo ?

Dans l'atelier de Pascale, on trouve <u>deux pédales</u>, <u>un volant</u>, <u>deux roues de bicyclette</u>, un pneu d'auto, <u>une chaîne de vélo</u>, une lampe de bureau et <u>une selle de vélo</u>.

6 Mets sous chaque dessin le numéro de sa phrase. ●●●●●●●●●●●●●●●●●

1. Pascale monte sur son vélo.

2. Les amis montent sur un vélo.

3. Les amis tombent.

4. Gafi tombe.

séquence **53**

1 Colorie les ronds du son **d** en **jaune**, ceux du son **an** en **rouge**.

antenne · · · · · · corde · · · · · · danseur · · · · · · loup · · · · · · dentiste

● ○ ○ ○ · · · · ○ ○ ○ ● · · · · ● ● ○ ○ ○ ○ · · · · ○ ○ · · · · ● ● ● ○ ○ ○ ○

2 Choisis le bon mot pour finir chaque collier.

(bêchant)—(léchant)—(pêchant)
séchant.
calant.

(tendu)—(tendre)—(pendu)—(pendre)—(vendu)
vendre.
vendra.

(tante)—(tente)—(sans)—(cent)—(van)—(vent)—(dans)
danse.
dent.

3 Entoure les groupes composés du même mot.

menton *menton* **menton** enfant ENFANT *enfant*

mentir menton MENTON **enfant** **éléphant** dans

souvent **SOUVENT** **souvent** vent ELEPHANT dent

18

4 "Dans la lune…" De qui s'agit-il ? Mets les croix qui conviennent. ••••

	Gafi	le marchand de ballons
Il a oublié de rentrer ses ballons.		X
Il fait un petit coucou à la lune.	X	
Il détache les ballons pour redescendre sur le sol.	X	
Il n'a plus de ballons à vendre.		X

5 Il y a **temps** et **temps.** Mets le bon symbole chaque fois que tu vois **temps.**

Ex : La pluie tombe, quel sale **temps** !

Dimanche, le temps était beau.

Tu n'as pas le temps de jouer.

Le vent souffle trop fort. Quel mauvais temps !

Il a beaucoup de temps pour lire.

6 Qui parle ? Arthur ou une souris ? ••••••••••••••••••••••••

« Je portais à Mélanie une pièce de dix francs.
Mais un monstre m'a sauté dessus. J'ai couru dans mon trou. »
C'est souris

« On était tous les quatre sur le vélo de Pascale. J'étais en
équilibre sur les épaules de Rachid. Mais Gafi a voulu monter
et il nous a fait tomber. » **C'est** _____

f
ph
séquence 54

1 Il y a autant de ronds que de sons. Colorie les ronds du son **f** .

fer   phoque   griffe   téléphone

○ ○ ○   ○ ○ ○   ○ ○ ○ ○   ○ ○ ○ ○ ○ ○

2 Choisis la bonne syllabe pour compléter chaque mot.

> pho
> fé phant
> fi

du ca ___ 🍵   la ___ to 🖼️

l'élé ___ t 🐘   le ___ let 🥅

3 Pour chaque mot, mets les croix qui conviennent.

	je vois **f**	je vois **ff**	je vois **ph**
chiffon			
canif			
phoque			

4 Sur les pancartes jumelles, entoure les deux intrus.

fou	faux	phare	téléphone
foule	four	photo	phare
four	foule	phoque	plaque
faux	fous	téléphone	photo

20

5 Choisis le bon mot pour chaque phrase. ●●●●●●●●●●●●●●●●●●●●●●

Pour ta ⟨ faute / fête ⟩ ,tu auras un cadeau.

Le renard vit dans la ⟨ forêt. / fumée. ⟩

La ⟨ flamme / femme ⟩ de cette allumette est petite.

6 Qui raconte l'histoire au téléphone ? Entoure la réponse qui convient. ●●●

« Allo Mélanie ! Je me suis fait doucher en téléphonant. »

Arthur ou **Gafi**

« Allo Mélanie ! Arthur a voulu me faire une farce. »

Arthur ou **Gafi**

« Allo Pascale ! Peux-tu fabriquer un téléphone sans fil pour
que Gafi ne puisse plus venir chez moi ? » **Arthur** ou **Gafi**

7 Complète avec des mots choisis dans cette série (*Attention au mot en trop*).

farce - frites - téléphone - fil .

Gafi ＿＿＿＿＿＿＿ à Arthur.

Il lui fait une ＿＿＿＿＿＿＿ .

Par le ＿＿＿＿＿＿＿ du téléphone,
il fait passer de l'eau.

8 Mets les points qui conviennent : **.** **?** ou **!** ●●●●●●●●●●●●●●●●●●●●●●

Arthur a un appareil photo pour faire des farces   Avec Gafi, il
n'a pas réussi   Est-ce que Pascale se laissera prendre   Non,
Pascale a vite compris

séquence 55

1 Colorie le carré si tu entends ⟨ **oi** ⟩.

2 Complète avec les syllabes.

voi
poi
toi

la __poi__ re   le __poi__ sson

la __voi__ ture   l'é __toi__ le

3 Suis le chemin des sons.

ai → mais   violette   voile   revoir   violon   soir

oi → poil   noir   paire   brioche   lait   lionne

io → pioche   quai   radio   vrai   roi   paix

4 Entoure les mots différents.

foie   fais
fois   foie
froid   foire
foire   froid

moi   noir
noix   poire
poire   noix
noir   mois

5 Choisis le bon mot pour retrouver l'histoire de ton livre. • • • • • • • • • • • • •

Les amis de Gafi vont _voir_ le roi des éléphants.
boire

Tout à coup, trois éléphants arrivent pour _voir._
boire.

Mélanie fait de la balançoire sur la _trompe_ de l'éléphant.
trompette

6 Souligne dans le texte les renseignements qui permettent de répondre.

Que dois-tu savoir pour dessiner un éléphant ?

Un éléphant vit en Afrique.

C'est un animal qui a un long nez appelé trompe.

L'éléphant a la peau presque noire. Il avale des bananes et

de l'herbe. Il a quatre pattes.

On dit que l'éléphant a beaucoup de mémoire.

7 Complète avec des mots choisis dans cette série. (*Attention !*) • • • • • • • •

gros – trois – lune – balançoire.

Mélanie est avec _trois_ éléphants.

Elle fait de la _balançoire_

sur la trompe d'un _gros_ éléphant

et le petit éléphant la pousse.

séquence 56

1 Il y autant de ronds que de sons. Entoure comme sur le modèle, et colorie le rond du son (z). •••••••••••••••••••••••••••

zèbre · seize · zéro · ciseau · chemise

2 Classe les mots dans le tableau. ••••••••••••••••••••

zoo - amuser - oiseau - chez - bazar - basse
nez - poisson - douze - cousin - coussin - allez.

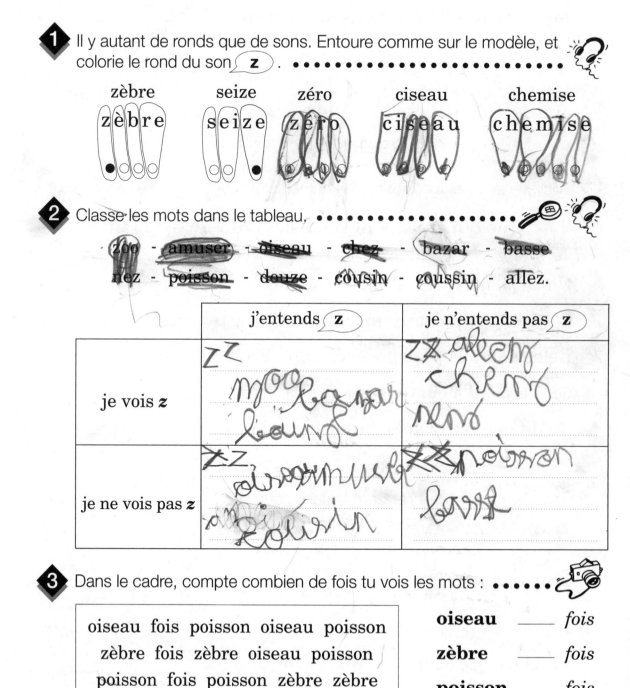

	j'entends (z)	je n'entends pas (z)
je vois **z**	zoo bazar douze	chez nez
je ne vois pas **z**	amuser cousin	oiseau basse

3 Dans le cadre, compte combien de fois tu vois les mots : ••••••

oiseau fois poisson oiseau poisson
zèbre fois zèbre oiseau poisson
poisson fois poisson zèbre zèbre

oiseau ____ *fois*

zèbre ____ *fois*

poisson ____ *fois*

4 Dans chaque série, il y a un intrus. Entoure-le comme sur le modèle. ••••

Au zoo ⟶ éléphant - zèbre - lézard - (cerise) - crocodile.

Au dessert ⟶ cerise - pomme - poire - lézard - fraise.

Dans la classe ⟶ chaise - table - zèbre - bureau - tableau.

Dans l'armoire ⟶ chemise - pantalon - pull - poule - pyjama.

5 Souligne dans le texte les renseignements qui te permettent de répondre à cette question : ••••••••••••••••••••••••••••••••••••

Quels animaux peut-on voir dans la savane ?

Au cinéma, Rachid a vu un film sur la savane.

Il y avait des zèbres, des zébus et des lézards.

Rachid a trouvé ces animaux très beaux.

Il a vu aussi des oiseaux roses et noirs.

6 Rachid raconte ce qu'il a vu en Afrique. Entoure ce qu'il a écrit. •••••••

J'ai un éléphant sous mon lit. Chaque soir, il me raconte une histoire. Cet éléphant est rose comme une banane.

Quand le soir est tombé dans la savane, j'ai vu des animaux qui venaient boire. Il y avait des zèbres et des antilopes.

Pour laver mon amie Mélanie, le petit éléphant l'a mise dans la machine à laver de sa maman. Comme cela, elle est ressortie toute propre.

in ain ein

séquence 57

1 Il y a autant de ronds que de sons. Entoure comme sur le modèle et colorie les ronds du son (**in**) . ● ● ● ● ● ● ● ● ● ● ● ● ● ● ● ●

poussin	lapin	train	cousin
p ou ss in	l a p in	t r ain	c ou s in

2 Complète avec les bonnes syllabes. ● ● ● ● ● ● ● ● ● ● ● ● ● ● ● ●

tai pin rin din

le la _pin_

le ma _rin_

le pa _lai_ s

le _din_ don

3 Classe les mots dans le tableau. ● ● ● ● ● ● ● ● ● ● ● ● ● ● ● ●

pin - mine - pain - bain - cousine - laine - matin - fontaine

	j'entends (**in**)	je n'entends pas (**in**)
je vois **in**	pin	cousin matin
je vois **ain**	pain bain	mine laine fontaine

26

4 Entoure l'intrus comme sur le modèle : •

Sur mon pain ⟶ du chocolat - de la crème - du pâté - (un lit).

Pour peindre ⟶ un pinceau - de la peinture - un stylo.

Pour mon pantalon ▸ une ceinture - une manche - des bretelles.

Sur mon vélo ▸ des freins - une selle - un volant - des roues.

5 Souligne les renseignements qui te permettent de répondre à la question.

Comment dessiner un hippopotame ?

Il y a des hippopotames en Afrique. Ils vivent souvent dans l'eau. L'hippopotame est très gros. Sa bouche est immense. Il a quatre courtes pattes. L'hippopotame a un cousin : c'est l'hippopotame nain.

6 Une seule de ces trois histoires est arrivée aux amis de Gafi quand ils étaient en Afrique. Entoure-la. •

Arthur a fait cinq dessins. Sur le premier, il a dessiné un lapin qui croque une carotte. Sur les autres, il a dessiné un train, un marin, une dinde et un sapin.	Mélanie apporte des peintures au roi des hippopotames car elle sait qu'il aime dessiner. Très content, ce roi a peint un beau tableau. Il l'offre à Mélanie.	Rachid et Mélanie étaient assis sur un gros hippopotame. Quand l'hippopotame s'est levé, ils ont pris un bon bain. Mais Gafi a ramené tout le monde à la maison.

séquence **58**

Cette séquence renvoie aux activités proposées dans le guide pédagogique, séquence 58.

◆ Regarde ces drôles de pancartes puis complète
la dernière avec tes camarades.

◆ Observe bien le dessin. Puis complète la pancarte.

◆ À ton tour d'imaginer une scène et d'y ajouter une pancarte.

in

im aim

um

séquence 59

1 Il y a autant de ronds que de sons. Entoure comme sur le modèle et colorie les ronds du son ⟨ **in** ⟩. •••••••••••••••••••••••

frein   timbre   ceinture   faim

f r e i n   t i m b r e   c e i n t u r e   f a i m

2 Remets les syllabes en ordre pour trouver les mots. ••••••••••

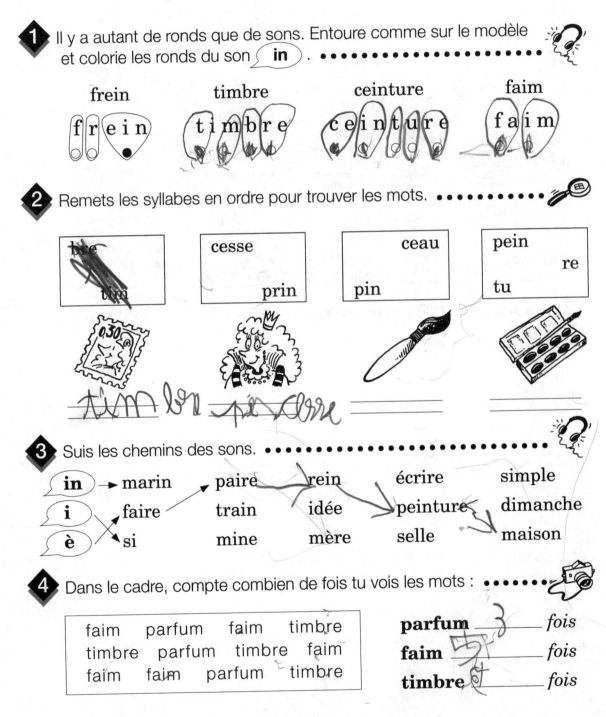

bre	cesse	ceau	pein
tim	prin	pin	re
			tu

timbre   princesse   pinceau   peinture

3 Suis les chemins des sons. ••••••••••••••••••••••••••••

in → marin   paire   rein   écrire   simple

i   faire   train   idée   peinture   dimanche

è   si   mine   mère   selle   maison

4 Dans le cadre, compte combien de fois tu vois les mots : ••••••••

faim	parfum	faim	timbre
timbre	parfum	timbre	faim
faim	faim	parfum	timbre

parfum _3_ *fois*

faim _5_ *fois*

timbre _4_ *fois*

30

5 Entoure l'intrus.

À la poste ——→ un timbre - une lettre - un paquet - un daim.

Contre la pluie ——→ un anorak - un parapluie - un ciré.

À quatre pattes ——→ un lapin - une poule - un renard.

Pour un malade ——→ un médecin - un médicament - un requin.

6 Fais exactement ce qui est dit :

Colorie le dessin où tu vois un lapin et des poussins.
Dans le dessin où il y a un requin, ajoute trois poissons
et dessine un marin sur le bateau.

7 Entoure la ou les histoires qui racontent ce que Gafi a pensé quand il a vu que Mélanie avalait les croquettes de Pacha.

Il a pensé : « Pauvre Mélanie ! Elle a si faim qu'elle prend les croquettes de Pacha. Je vais vite aller au supermarché et je vais lui acheter une boîte de pâté pour chat. »

Il a pensé : « Je ne savais pas que les enfants aimaient les croquettes des chats. Mais après tout, pourquoi pas ? Pacha va peut-être manger les frites. »

Il a pensé : « Mélanie est impolie. Elle ne m'a même pas dit "Merci". Mais elle va être bien attrapée quand elle verra ce qu'elle a croqué. »

31

ien

séquence 60

1 Colorie le cadre des mots si tu entends (**ien**) . • • • • • • • • • • • • •

| chien | ceinture | mécanicien | peinture | musicien |

2 Remets les syllabes en ordre pour trouver les mots • • • • • • • • • •

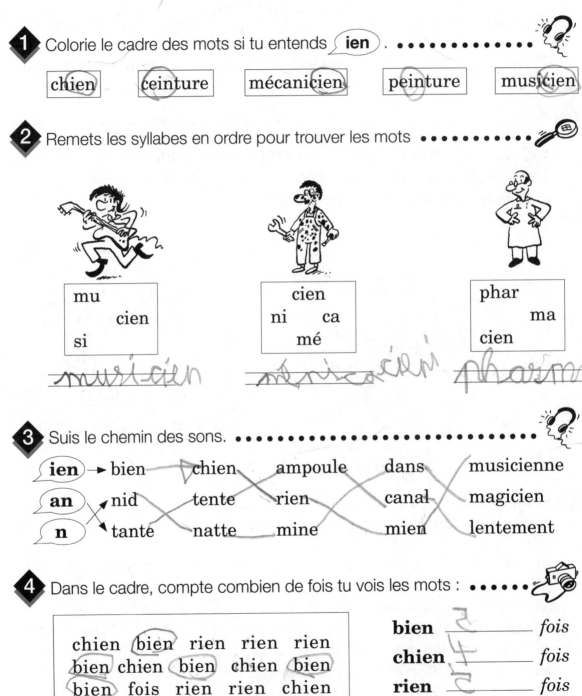

mu	cien	si

musicien

| cien | ni | ca | mé |

mécanicien

| phar | ma | cien |

pharmac

3 Suis le chemin des sons. •

(**ien**) → bien   chien   ampoule   dans   musicienne

(**an**) nid   tente   rien   canal   magicien

(**n**) tante   natte   mine   mien   lentement

4 Dans le cadre, compte combien de fois tu vois les mots : • • • • • •

chien	bien	rien	rien	rien
bien	chien	bien	chien	bien
bien	fois	rien	rien	chien

bien _____ *fois*

chien _____ *fois*

rien _____ *fois*

5 Entoure l'intrus. ●●●●●●●●●●●●●●●●●●●●●●●●●●●●●●●●●●●●●●●

Chez le pharmacien ⟶ des cachets - du sirop - des pansements - une télévision.

Chez le musicien ⟶ un violon - un pinceau - une flûte.

Chez le mécanicien ⟶ une auto - un moteur - des roues - un piano - des outils.

6 Complète le dessin à l'aide du texte. ●●●●●●●●●●●●●●●●●●●●●●●●●●●

Le petit chien a une niche.
Il a aussi un os à croquer.
Les murs de la niche sont noirs
et le toit est vert.
Le chien tient un os sous sa patte.

7 Une seule personne a bien vu Gafi et ses amis en costumes de carnaval. Entoure son histoire. ●●●●●●●●●●●●●●●●●●●●●●●●●●●●●●●●●●

Pour carnaval, les enfants se sont costumés. Arthur a un habit d'Indien. Rachid est en magicien et Mélanie a un masque de chien.

Gafi s'est fait un drôle de costume. Il s'est mis une écharpe sur la tête et il a dessiné des poissons sur sa robe.

Pour carnaval, Mélanie a mis un masque de chat car elle veut faire une farce à Pacha. Arthur a mis un drap sur la tête pour faire peur à Gafi.

séquence **61**

1 Sous chaque cadre, il y a autant de ronds que de sons.
Range les mots à leur place. ●

phrase - incendie - eau - dinde - onze

○ | ○ ○ | ○ ○ ○ | ○ ○ ○ ○ | ○ ○ ○ ○ ○

2 Complète les mots en choisissant entre les syllabes **sin** et **cien**,
puis relie au dessin. ●

cous _____

pharma _____

mécani _____

pous _____

magi _____

musi _____

3 Retrouve le chemin de chaque mot. ●

frein	bazar	**frein**	poireau	*BAZAR*
poireau	**frein**	bazar	frein	LUNDI
bazar	*lundi*	**poireau**	*lundi*	poireau
lundi	poireau	*lundi*	**bazar**	FREIN

34

4 Chaque phrase est écrite pour être mise **avant** une des histoires que tu as lues. Retrouve le numéro de l'histoire. •••••••••••••••••

« Quand j'aurai fini mes devoirs, je regarderai la télé. »

Nº _____

« Je vais acheter un appareil photo qui lance de l'eau. »
Nº _____

5 Pascale s'est trompée en résumant l'histoire. Corrige en recopiant. ••••

Gafi nettoie le vélo de Mélanie avec de la lessive. Puis, il lave le survêtement avec la brosse métallique. Enfin, il s'occupe de la salade avec le jet d'eau.

_____
_____
_____
_____
_____

6 Ecris le numéro de chaque phrase sous son dessin. •••••••••••••••

① Trois chiens courent derrière un lapin.
② Un lapin est derrière un sapin.
③ Un chien court après trois lapins.

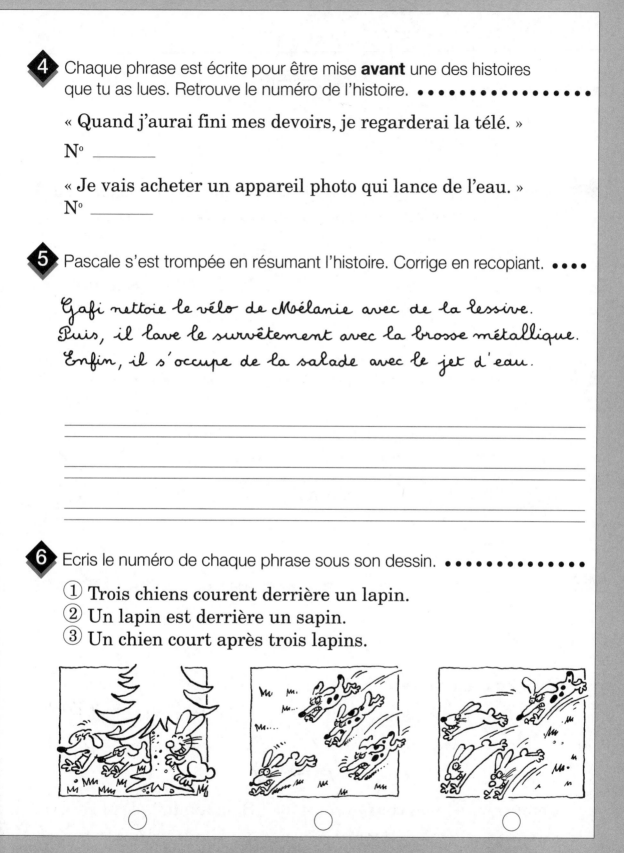

○   ○   ○

eu

eu œu

séquence 62

1 Il y a autant de ronds que de sons. Entoure comme sur le modèle et colorie les ronds du son (**eu**). •

queue   peur   nœud   sœur

qu (eue)   p e u r   n œu d   s œu r

2 Remets les syllabes en ordre pour trouver les mots. • • • • • • • •

| coi ffeur | chan teur | teur doc | veux che |

coiffeur _chanteur_ _docteur_ _cheveux_

3 Comme sur le modèle, choisis le mot qui convient pour la rime.

peureux/danseur

Voici Eric le chant**eur**.   Voici Jean le fril**eux**.

Voilà Paul le dans**eur**.   Voilà Pierre le _peureux_.

bleu/bœuf

Celui-ci mange un **œuf**.   Si le lundi il pl**eu**t.

Celui-là mange du _bœuf_   Le mardi, tout est _bleu_

36

4 Complète ce schéma à l'aide de la liste de mots : • • • • • • • • • • • • • • •

pneu - phare - selle - pédale - chaîne.

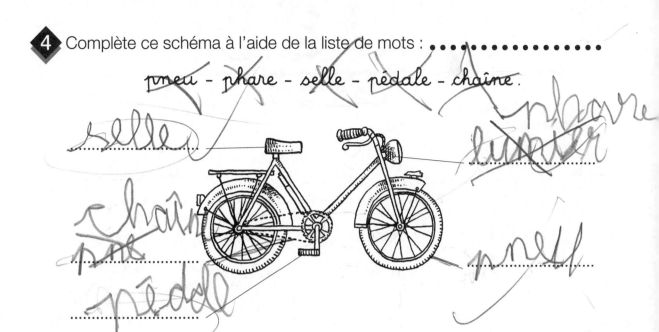

selle ....

phare

lumière

chaîne

pneu ....

pneu

pédale ....

5 Lis chaque phrase et fais exactement ce qui est dit. • • • • • • • • • • • • • • • • •

Cet œuf a trois parties :

Colorie la partie du haut en bleu.
Colorie la partie du bas en vert.
Colorie la bande du milieu en marron.
Dans la partie bleue, dessine des carrés.
Dans la partie verte, dessine des ronds.

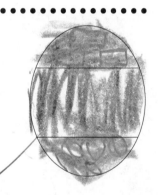

6 Après la tempête, Pascale et Rachid ont écrit ce qui s'est passé.
Entoure leurs histoires. •

Le coiffeur a coupé les cheveux de ses clients. Il a ramassé les cheveux, et il les a collés entre eux pour en faire de belles perruques.

Cette nuit, la tempête a arraché les tuiles et les pétales des fleurs. Quand Gafi a vu le coiffeur chauve, il a pensé que le vent avait fait tomber ses cheveux.

Gafi est tout heureux. Il pense qu'il a bon cœur car il a redonné au coiffeur tous ses cheveux.

séquence 63

1 Il y a autant de ronds que de sons. Entoure comme sur le modèle et colorie les ronds du j.

joli   jambe   genou   singe

2 Remets les syllabes en ordre pour trouver les mots.

nal	bou	lo	fe
jour	gie	ge	gi
		hor	ra

bougie   horloge

3 Classe les mots dans le tableau.

jupe - léger - regarde - rouge - gros - bougie - gâteau - jour - déjà.

	j'entends j	je n'entends pas j
je vois j	jupe	
je ne vois pas j	léger	regarde

4 Entoure l'intrus. ●●●

Au zoo ⟶ un singe - un éléphant - un coiffeur - un crocodile.

Dans le journal ⟶ des photos - des nouvelles - des bougies.

Des parties du corps ⟶ la jambe - le genou - la boule - l'épaule.

Des couleurs ⟶ rouge - jaune - marron - léger - vert - orange.

5 Dis si, pour chaque dessin, on a bien ou mal fait ce qui était demandé. ●●

Dessine un carré dans un rond.　　　⬜　　　*bien - mal*

Dessine un carré à côté d'un rond.　　○　　*bien - mal*

Dessine un rond dans un carré.　　○　　*bien - mal*

Dessine un rond dans un rond.　　　　*bien - mal*

6 Entoure le texte qui raconte ce qui arrive quand Pascale embrasse ses amis. ●●

Quand Pascale embrasse Rachid sur la joue, il devient tout rouge. Mais quand c'est au tour de Gafi, le pauvre fantôme devient vert.	Gafi a embrassé Pascale. Il est devenu tout jaune. Il a été obligé de plonger dans l'eau pour laver sa jolie robe blanche.	Quand Pascale embrasse Rachid, Gafi se met en colère et devient tout rouge. Puis il disparaît.

séquence **64**

1 Il y a autant de ronds que de sons. Entoure comme sur le modèle et colorie les ronds du son ⌒ **j** ⌒ . •

gendarme   éponge   neige   pigeon

g e n d a r m e   é p o n g e   n e i g e   p i g e o n

2 Remets les syllabes en ordre pour trouver les mots. • • • • • • • • • • •

plon		
geoir		

ant		
		gé

	geoire	
na		

		geoir
	bou	

plongeoir   *géant*   *nageoire*   *bougeoir*

3 Classe les mots dans le tableau. •

geai - pigeon - jupon - jardin - gros - plongeon - gare.

	j'entends ⌒ **j** ⌒	je n'entends pas ⌒ **j** ⌒
je vois **g**	*geai plongeon pigeon*	*gros gare*
je ne vois pas **g**	*jardin jupon*	

4 Lis bien pour compléter ce dessin. ••••••••••••••••••••••••••
Colorie :
- le plongeoir en vert
- le bonnet du plongeur en noir
- la bouée du garçon en rouge
- le bonnet de la nageuse en bleu.

5 Un seul de ces deux textes résume l'histoire. Entoure-le. ••••••••••••

Gafi a emmené ses amis
au temps des hommes
préhistoriques.
À cette époque, la vie était facile.
En effet, les hommes
préhistoriques mangeaient
des chips. Ils allumaient le feu
avec des allumettes et
ils avaient de belles casseroles.

Gafi a emmené ses amis
au temps des hommes
préhistoriques.
La vie, à cette époque, était
dure. En effet, les hommes
préhistoriques devaient
chasser pour manger.
Ils n'avaient pas d'allumettes
ni de casseroles.

6 Entoure le mot qui convient au début de la phrase. ••••••••••••••••

Autrefois,
                    les hommes mangeaient tous leurs aliments crus.
Maintenant,

Autrefois,
                    nous mangeons nos côtelettes bien cuites.
Maintenant,

séquence 65

1 Il y a autant de ronds que de sons. Entoure comme sur le modèle. Colorie les ronds du son **g** . •

goutte   gare   guitare   langue

g o u t t e   g a r e   g u i t a r e   l a n g u e

2 Complète avec les bonnes syllabes. • • • • • • • • • • • • • • • • •

gu
gâ
cou
gon

le dra ____   le ____ teau

le ____ teau   la fi ____ re

3 Retrouve la chaîne des sons. •

g → gâteau   jouet   rouge   guêpe   kimono

j → jupe   course   gant   pique   jaune

c → canard   pirogue   sac   gifle   guidon

4 Dans le cadre, compte combien de fois tu vois les mots : • • • • • • •

bague gomme guidon guidon
gomme gomme gomme bague
bague bague guidon gomme
guidon bague guidon bague

gomme ____ *fois*

guidon ____ *fois*

bague ____ *fois*

42

5 Complète ce schéma à l'aide de la liste des mots : •••••••••••••••

pied – jambe – genou – visage – coude

....

....

....

....

....

6 Retrouve le personnage de l'histoire qui raconte son aventure. •••••••••

« Quand j'étais chez les hommes préhistoriques avec Mélanie, Pascale, Rachid et Gafi, j'ai voulu chasser avec un arc et des flèches mais je n'ai rien attrapé. »

C'est _____

« Après la traversée en pirogue, j'étais très fatigué et j'avais froid. Alors Gafi m'a dit de tuer l'ours et de prendre sa peau. J'ai répondu que je préférais rentrer à la maison. »

C'est _____

7 Recopie en remplaçant le mot en **gras** par un des deux mots en *italique*.

Mélanie apporte une **lourde** pierre.   *gros / grosse*

_____

_____

Arthur a raconté une **belle** histoire.   *long / longue*

_____

_____

séquence **66**

Cette séquence renvoie aux activités proposées dans le guide pédagogique, séquence 76.

◆ Observe bien ces images de bandes dessinées.
Complète les bulles à ton idée.

44

◆ Que peuvent-ils bien se dire dans cette drôle de situation ?
Complète les bulles.

**gr / gl
cr / cl**

séquence **67**

1 Il y a autant de ronds que de sons. Entoure comme sur le modèle et colorie les ronds du son (**g** .

clou   église   tigre   sucre

c l o u   é g l i s e   t i g r e   s u c r e

2 Choisis la bonne syllabe pour compléter chaque mot.

la ____ vate   la ____ ce   une ____ ppe

3 Classe les mots dans le tableau.

ogre - glisse - aigle - grue - grimace - glace.

j'entends (**gr**	j'entends (**gl**
grue ✓ grimace ✓	glisse ✓ aigle ✓ glace ✓

4 Suis le chemin des mots.

classe   **grasse**   classe   **grasse**   grasse   *classe*

grasse   ***classe***   grasse   **classe**   CLASSE   grasse

5 Il y a **glace** et **glace**. Mets le bon symbole chaque fois que tu vois **glace.**

Je me regarde dans la **glace**.

Je mange une **glace**.

Cette glace au citron est bonne.

Cette glace est si grande qu'on peut s'y voir de la tête aux pieds.

Je vais acheter une glace pour mon goûter.

6 On a mélangé deux textes. Recopie celui qui résume l'histoire. • • • • • • • •

Le pâtissier du "Chat Gourmand" a eu une surprise. Mélanie a emmené Pacha chez le vétérinaire. **Un client lui a demandé une glace à la crevette.** Le pauvre chat avait une griffe cassée. **Un autre client a réclamé un croissant à la crevette.** Le vétérinaire a regardé la patte de Pacha. **Le pauvre pâtissier n'y comprenait rien.** Il lui a fait un pansement.

_____

_____

_____

_____

_____

_____

_____

7 Pour chaque dessin, dis si on a bien ou mal fait ce qui était demandé. • • •

Dessine quatre
croissants

bien - mal

Dessine un cornet
avec trois boules de glace

bien - mal

gn

séquence 68

1 Trouve les cordes comme sur le modèle.
Mets un point sous celle où tu entends le son (**gn**). • • • • • • • •

signal   baignoire   champignon   gagner   montagne

2 Remets les syllabes en ordre pour trouver les mots. • • • • • • • • •

| a   gnée   rai | bai   gnoire | gne   pa   cam | si   gna   ture |

_____   _____   _____   _____

3 Pour chaque mot, mets les croix qui conviennent. • • • • • • • •

	j'entends (**gn**)	je n'entends pas (**gn**)	je vois **gn**	je ne vois pas **gn**
ligne				
linge				
peigne				
fanion				

4 Dans chaque série, entoure le mot qui correspond au dessin. • • •

champagne
champignon
champion

peine
beignet
peigne

oignon
poignée
poing

48

5 Entoure l'intrus. ●●●●●●●●●●●●●●●●●●●●●●●●●●●●●●●

Dans la salle de bains → une baignoire - une douche - un cygne.

Pour dîner ——→ des champignons - des beignets - un peigne.

Pour se baigner ——————→ une piscine - une bouée - des patins.

6 On a mélangé deux textes. Recopie celui qui résume l'histoire. ●●●●●●●●

Arthur prépare un magnifique gâteau. **Rachid va à la plage pour se baigner. Il emporte un petit sac avec ses affaires.** Il met des bougies dessus. Puis il demande à ses amis de souffler. **Il a aussi une bouée en forme de cygne.** C'est Pascale qui éteint le plus de bougies. **Il s'amuse bien.** Mais quand c'est le tour de Gafi, celui-ci souffle fort.

_____

_____

_____

_____

_____

_____

7 Entoure le mot qui convient pour chaque phrase. ●●●●●●●●●●●●●●●●●

Demain,
Hier, ——————→ je partirai à la montagne.
Aujourd'hui,

Demain,
Hier, ——————→ je me baigne dans la mer.
Aujourd'hui,

49

séquence **69**

1 Grâce aux croix du tableau, recopie chaque mot à sa place.

~~déjà~~ - agneau - gare - juge - garage.

mots	J'entends j	J' entends g	J'entends gn	Je vois j	Je vois g	Je vois gn
déjà	✕			✕		
gare		✕			✕	
			✕			✕
	✕			✕	✕	
	✕	✕			✕	

2 Retrouve les chemins. (On va d'un mot à un autre en ajoutant une seule lettre.)

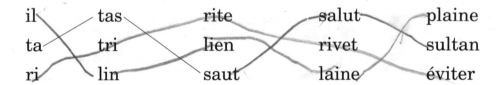

il   tas   rite   salut   plaine

ta   tri   lien   rivet   sultan

ri   lin   saut   laine   éviter

3 Retrouve et entoure les noms de fleurs.

marguerite - montagne - giroflée - muguet - jambon

nénuphar - baignoire - perce-neige - oignon - violette.

4 Voici un texte. *Attention !* dans chaque phrase, il manque un mot qu'il faut retrouver. ●●●●●●●●●●●●●●●●●●●●●●●●●●

campagne – grimace – grimper

Mélanie va à la _____ avec Rachid.

Pour _____ très haut, elle a un sac et des cordes.

Rachid fait la _____ , il n'aime pas escalader

les rochers.

5 Qui l'a fait ? Mets une croix dans la case qui convient. ●●●●●●●●●●●●

	Gafi	Pascale	Arthur
Il a avalé trois bols de cacao.			
Il a mangé cinq tranches de jambon.			
Elle a dit : « C'est sûrement la rougeole. »			
Il a dit : « Tu as peut-être trop mangé. »			
Il a dit des mensonges.			

6 Souligne le mot qui veut dire la même chose que le mot en gras. ●●●●

Un singe **drôle** gris, sage, amusant

Un plongeon **magnifique** splendide, rapide, raté

Un tigre **féroce** jaune, grand, méchant

Une baignoire **remplie** neuve, usée, pleine

tion

1 Dans chaque valise, il y a deux mots. Retrouve-les. • • • • • • • • • • •

ni   pu   col
tion
tion   lec

lu   pro   so
fes   tion
sion

une c *lection*
une p *r{...}*

la s *olution*
une p *rofession*

2 Mets les croix qui conviennent. •

	j'entends **sion**	je n'entends pas **sion**	je vois **ssion**	je vois **tion**
émission	X		X	X
récitation		X		X
addition		X		X
télévision		X		
solution		X		X
question		X		X

3 Encadre ou souligne les mots comme sur le modèle. • • • • • • • • •

opération   solution   récréation   récréation   solution

opération   solution   opération   récréation   récréation

4 Entoure l'intrus. ●●●●●●●●●●●●●●●●●●●●●●●●●●●●●●●●●●●

Pour une habitation ⟶ un toit - des murs - une porte - une récréation.

Pour une opération ⟶ des nombres - un timbre - le signe +.

Pour une émission ⟶ une caméra - un micro - une punition.

5 On a mélangé deux textes. Recopie celui qui résume l'histoire. ●●●●●●●●

Pascale dit qu'elle fait une collection d'avions. **Charles fait une collection de petites voitures.** Mélanie ajoute qu'elle a une collection de poupées. Rachid déclare qu'il collectionne les timbres. **Dans sa collection, il a aussi des camions.** Arthur se moque de ses camarades. **Il les range dans un grand garage.** Alors, la maîtresse se met en colère.

_____

_____

_____

_____

6 Recopie les phrases en mettant à leur place celui des deux mots en gras qui convient. ●●●●●●●●●●●●●●●●●●●●●●●●●●●●●●●●

bon/bonne	Arthur aura une punition.
long/longue	Mélanie apprend une récitation.
bon/bonne	Rachid a trouvé la solution.
long/longue	Patrick met un pantalon.

53

ieu
ian
ier

séquence 71

1 Colorie les cadres des mots quand tu entends (**ieu**) . . . .

| vieux | mieux | pluie | milieu | il essuie | monsieur |

2 Dans chaque valise il y a deux mots, retrouve-les. . . . .

pa   ca
hier   nier

pom   pia
pier   no

un _____   un _____

un _____   un _____

3 Dans chaque série, barre l'intrus. . . . .

ian
mendiant
viande
camion
étudiant

ier
métier
papier
panier
question

ieu
curieux
punition
milieu
gracieux

4 Retrouve le chemin des mots. . . . .

cahier	camion	CAHIER	curieux	cahier
CAMION	cahier	curieux	camion	curieux
curieux	curieux	CAMION	cahier	camion

5 Complète le schéma avec ces mots. ••••••••••••••••••••

hélice - aile - queue - hublot - roues

6 On a mélangé deux textes. Recopie celui qui résume l'histoire. •••••••••

J'ai vu une drôle de dame. Elle avait un vieux chapeau noir. Tout le monde est entré dans le cadre magique. Puis, une soucoupe volante est arrivée. Elle lisait un papier rempli de dessins curieux. Le lieutenant Julius Triangle en est descendu. Cette drôle de dame était une sorcière. Il a invité les enfants à partir avec lui.

_____

_____

_____

_____

_____

_____

7 Recopie les phrases en remplaçant le mot souligné par celui des mots en marge qui convient. ••••••••••••••••••••••••••••••••••

écrivent - écrivaient	Autrefois, les écoliers dessinaient aussi sur leurs cahiers.
brûle - brûlait	En ce moment, un monsieur ramasse des vieux papiers.
dépanne - dépannera	Demain, un ouvrier réparera votre camion.

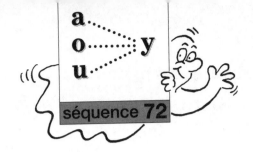

séquence 72

1 Trouve les cordes comme sur le modèle. • • • • • • • • • • • • • • • • • •

rayon   balayette   délayer   payeur   balayeur

2 Complète chaque mot avec **oy** ou **ay**. • • • • • • • • • • • • • • • •

un cr __ on   le v __ ageur

un bal __ eur   un n __ au

3 Dans chaque cadre, barre l'intrus. •

ay	oy	uy
crayon	voyage	essuyer
~~yaourt~~	côtoyer	ennuyer
essayer	royal	appuyer
balayer	employé	rayon
payer	yoyo	tuyau

4 Dans le cadre, compte combien de fois tu vois les mots : • • • • • •

moyen pays ennuyer moyen
pays pays moyen ennuyer
ennuyer pays ennuyer
moyen moyen pays pays

moyen ____ *fois*

ennuyer ____ *fois*

pays ____ *fois*

5 Entoure l'intrus. ●●●●●●●●●●●●●●●●●●●●●●●●●●●●●●●●●●●●●●

Pour nettoyer →un aspirateur - une balayette - une éponge - une poussette - un balai.

Pour voyager →une valise - une auto - une bicyclette - un train - une balayette.

6 Dis si, pour chaque devoir, on a bien ou mal dessiné. ●●●●●●●●●●●●●●●

Dessine huit rayons
dans la roue de bicyclette.

bien - mal

Dessine trois crayons :
un grand, un moyen et un petit.

bien - mal

Dessine quatre ronds :
trois au-dessus de la ligne
et un au-dessous.

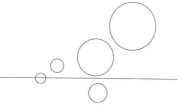

bien - mal

7 Dans les phrases suivantes, mets un rond quand on parle de Mélanie, un carré quand on parle de Gafi. ●●●●●●●●●●●●●●●●●●●●●●●●●●●●●●

      Ex : **Gafi** est avec **Mélanie, elle** parle et **il** écoute.
           □   ○   ○   □

Mélanie monte sur sa bicyclette puis **elle** démarre.

Oh ! Arthur **la** dépasse.

Gafi joue à cache-cache. **Il** traverse le mur.

Arthur ne **le** trouvera pas.

oin
ion
séquence 73

1 Complète chaque mot avec **ion** ou **oin**.

un av_ion_   un l_ion_   un c_oin_

la p_oin_te   le cam_ion_

2 Choisis les mots qui conviennent pour former les rimes.

~~pingouin - pâtissier - camion~~

Qu'est-ce qui vole ? C'est ton **avion** !

Qu'est-ce qui roule ? C'est mon _camion_

Il faut aller très **loin**

Pour trouver un _pingouin_

C'est en montant cet **escalier**

que j'ai croisé un _pâtissier_

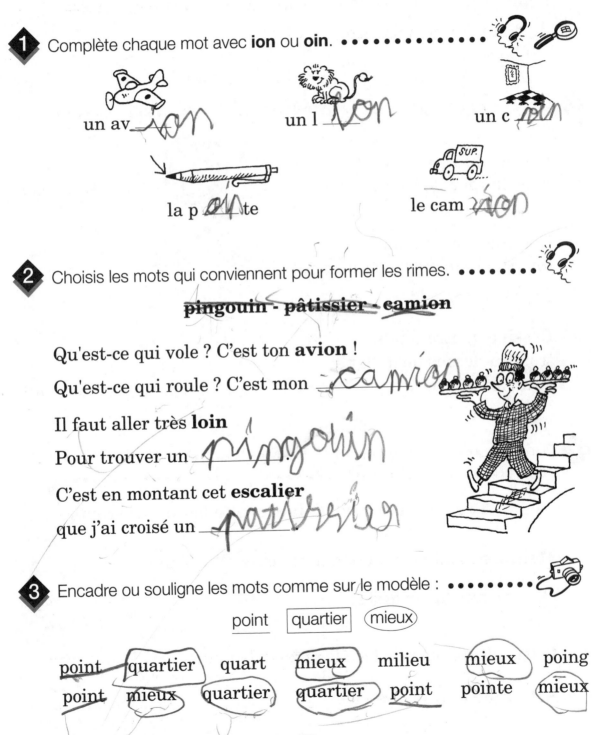

3 Encadre ou souligne les mots comme sur le modèle :

point   quartier   mieux

point quartier quart   mieux milieu   mieux poing

point mieux quartier   quartier point   pointe mieux

58

4 Dans chaque phrase, choisis le bon mot. •••••••••••••••••••

Mon équipe a marqué deux —— pions.
—— points.

Il a reçu un coup de —— pion.
—— poing.

5 On a mélangé deux textes. Recopie celui qui résume l'histoire. ••••••••

Je suis allé à l'aéroport. Le vieux roi demande aux enfants de l'aider. Il trouve que sa planète grise est trop triste. Moins de dix minutes après, j'ai embarqué dans mon avion. Pascale a une idée. Enfin, l'avion a décollé. Avec Gafi et ses amis, elle va mettre de la couleur partout.

_____

_____

_____

_____

_____

_____

_____

6 Dans les phrases, mets un rond quand on parle de Rachid, un carré quand on parle de Pascale. •••••••••••••••••••••••••••••

Rachid est avec **Pascale** : **il** chante et **elle** joue de la guitare.
   ○   □   ○   □

Pascale est fatiguée, **elle** se couche.

Sa maman vient **l'**embrasser.

Rachid est devant la télévision, **il** regarde un film.

Son frère est avec **lui**.

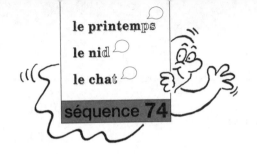

le printemps
le nid
le chat

séquence 74

1 Il y a autant de ronds que de sons. Entoure comme sur le modèle. Colorie le rond quand tu entends (s).

souris   gros   temps   jamais   sous

s o u r i s   g r o s   t e m p s   j a m a i s   s o u s
●○○○   ○ ○ ○   ○   ○   ○○ ○ ○   ○   ○

2 Trouve le chemin des familles de mots.

pot —— **pot**erie   montagne   potée   entrechat

chat   monter   **pot**ier   chatière   potage

mont   chaton   chatte   montagnard   montée

3 Dans chaque série, barre l'intrus.

t	s	p	d	g
toupie	soupe	poule	aide	galop
~~pont~~	sauce	passer	retarder	bague
temps	pas	porte	dos	poing
cocotier	classe	tape	profond	glace
tapis	leçon	sept	jardinier	vague

4 Sur chaque paire d'ardoises, entoure les deux mots semblables.

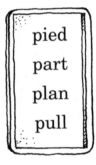

pied
part
plan
pull

port
plein
pied
poule

nain
nous
noix
nid

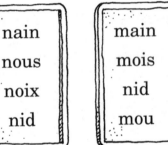

main
mois
nid
mou

60

5 Relie les contraires. •

lourd	courageux	bruyant	agité
peureux	léger	calme	malheureux
long	grand	maigre	gros
petit	court	heureux	silencieux

6 Rappelle-toi l'histoire et trouve qui se pose ces questions. • • • • • • • • • • •

« Je me demande à qui je vais donner le rouge
et à qui confier le jaune et le bleu. »

C'est _____

« Est-ce que je peux peindre ce vélo en jaune ? »

C'est _____

« Est-ce que je peux peindre cette trompette en rouge ? »

C'est _____

7 Trois garçons sont allés en promenade : Paul a entendu avec ses oreilles.
Marc a vu avec ses yeux et Jean a senti avec son nez. Redonne à chacun
son texte. •

Ma promenade
Je suis sorti et j'ai aimé la couleur verte de cet arbre. Ensuite j'ai vu un champ de blé bien jaune. Pour finir, j'ai trouvé que le bleu de ce lac était vraiment splendide.
Signé :

Ma promenade
Je suis sorti et j'ai aimé le chant de cet oiseau. Puis j'ai entendu le bruit du vent dans les feuilles. On aurait dit le son d'un violon.
Signé :

Ma promenade
Je suis sorti et j'ai tout de suite aimé le parfum des fleurs. Après, je suis passé dans la forêt. Cela sentait bon le muguet. J'ai ramassé des champignons très parfumés.
Signé :

l'hiver
le bonheur
séquence 75

1 Il y a autant de ronds que de sons. Entoure comme sur le modèle et colorie les ronds quand tu endends (**a**). •••••••••••••

haricot

h a r i c o t
● ○ ○ ○ ○ ○

hameçon

h a m e ç o n
○ ○ ○ ○ ○

habit

h a b i t
○ ○ ○

théâtre

t h é â t r e
○ ○ ○ ○ ○

2 Dans chaque valise, il y a deux mots. Retrouve-les. •••••••••••

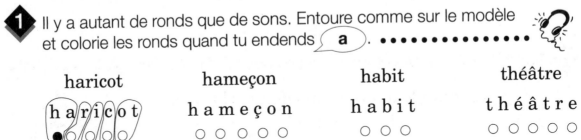

| hi   sson |
| ri |
| ver   hé |

_____

_____

| hait   hé |
| li   sou |
| tère   cop |

_____

_____

| reux   sard |
| |
| ha   heu |

_____

_____

3 Dans chaque série, barre le mot **qui ne commence pas** par le son indiqué en gras. ••••••••••••••••••••••••••••

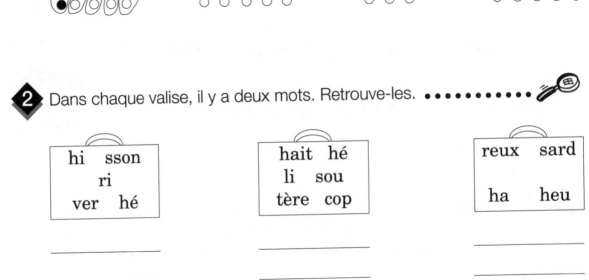

a	**u**	**o**	**i**	**é**
hache	hutte	horloge	hiver	héros
habiter	hurler	hotte	hibou	hélas
halo	chute	photo	hirondelle	chéri
habile	humeur	horrible	hippopotame	hélice
~~phare~~	humide	homme	chic	hérisson

4 Entoure les intrus. ●●●●●●●●●●●●●●●●●●●●●●●●●●●●●●●●●●●●

En hiver ⟶ la neige - la glace - le froid - la baignade -
le ski - Noël.

Des habits ⟶ une chemise - une jupe - un pantalon -
un pull - un marteau.

Des histoires ⟶ Blanche-Neige - le Petit Chaperon rouge -
le Petit Poucet - un hélicoptère.

5 Dans ce texte, un mot est toujours remplacé par **houba** et un autre
par **hidu**. Découvre quels sont ces mots. ●●●●●●●●●●●●●●●●●●●●

Houba et hidu sont des couleurs. On trouve le houba
sur le drapeau français. Le hidu, lui, est la couleur des étoiles.
Un coquelicot est houba et un petit poussin est hidu.
À la maison, j'ai un poisson houba dans un bocal,
et un canari hidu dans une cage.

Le **houba,** c'est le _____ . Le **hidu,** c'est le _____ .

6 Rappelle-toi l'histoire. ●●●●●●●●●●●●●●●●●●●●●●●●●●●●●●●●●

1. Dessine ce que les enfants vont suivre pour revenir chez eux, et écris
son nom sous ton dessin.

2. Le vieux roi est content car la planète va connaître
les quatre saisons. Trouve leurs noms et écris-les.

le _____ ,   l' _____ ,

l' _____ ,   l' _____ .

63

séquence 76

Cette séquence renvoie aux activités proposées dans le guide pédagogique, séquence 76.

C'est blanc

Le lait que je bois, c'est blanc,

Le riz que je mange, c'est blanc,

La farine pour les gâteaux, c'est blanc,

La neige qui tombe, c'est blanc,

Et le perce-neige qui pousse,

C'est blanc, blanc, blanc !

Agnès Rosensthiel, d'après *C'est blanc*,
Collection « C'est comme ça » © Éd. Gallimard.

◆ Choisis une couleur puis, avec tes camarades, écris un texte sur le modèle de *C'est blanc*. Recopie les passages que tu as préférés.

C'est ....

L .... que je ...., c'est ....,

L .... que je ...., c'est ....,

L .... pour ...., c'est ....,

Et l' .... qui ....,

C'est ...., ..., ... !

◆ À ton tour d'écrire.
Tu peux t'aider des mots qui entourent cette page.

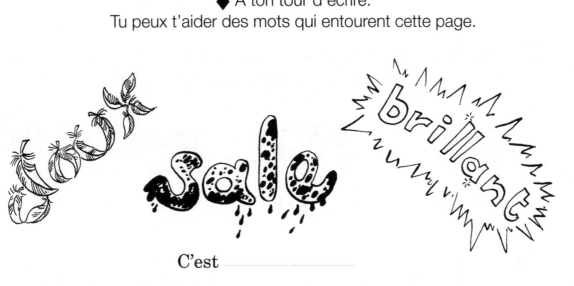

C'est ....

L .... que je .... , c'est .... ,

L .... que je .... , c'est .... ,

L .... que je .... , c'est .... ,

C'est .... , ... !

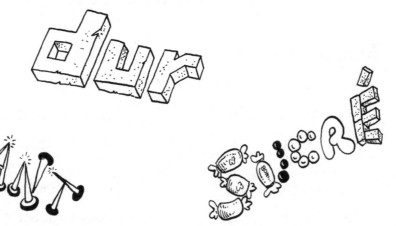

séquence **77**

1 Choisis la bonne syllabe pour compléter chaque mot.

oin, ion, ain

le p _oin_ g   un p _ion_   un p ____   la m ____

2 Avec les lettres de chaque mot, tu peux fabriquer un autre mot.
Les définitions sont là pour t'aider. •••••••••••••••••••••

mien	*mine*	Il y en a une dans chaque crayon.
loin	_lion_	Cet animal vit en Afrique.
niche	_chin_	Dans ce pays, les gens ont la peau jaune.
signe	_singe_	Cet animal fait des grimaces très drôles.
linge	_____	On peut en tracer une sur un cahier avec un crayon et une règle.

3 Choisis les mots qui conviennent pour la rime :

heureux - os - attention - peur.

Bonjour, mons**ieur**   Quel malh**eur** !

Êtes-vous _____ ?   J'ai eu très _____

En commiss**ion**   Dans ses b**osses**,

Fais _____ !   le chameau n'a pas d'_____

4 Regarde bien les trois dessins et essaie de répondre aux questions. ••

Je ne suis ni avec le renard, ni avec le lion. J'ai une casquette sur la tête.

Quel est mon métier : dompteur, facteur ou chasseur ?

Il n'est ni avec le chien, ni avec le lapin. Il a une crinière.

Quel est cet animal ? _____

On n'en voit ni dans la cage, ni avec le chat et le chien. Ils ont un pied et un chapeau mais ils ne marchent pas.

De quoi parle-t-on ? _____

 Sur la planète XY2, monsieur Legrognon trouve toujours que tout va mal alors que mademoiselle Ritoujours trouve que tout va bien.
Redonne à chacun son texte. ••••••••••••••••••••••••

Depuis que ces quatre voyous et leur fantôme sont passés sur notre planète, je ne reconnais plus rien. Ah ! quand tout était gris, c'était bien mieux et surtout moins salissant ! Si j'avais été à la place de notre roi, je les aurais jetés en prison.
Signé :

Depuis que ces quatre enfants et ce mignon fantôme sont passés sur notre planète, je ne reconnais plus rien. Et c'est tant mieux ! Ah ! ces arbres verts, ces fleurs de toutes les couleurs, comme c'est beau ! Notre bon vieux roi a eu bien raison de les remercier.
Signé :

ill

séquence **78**

1 Complète chaque mot avec des syllabes du cadre.

quille

nille

tille

une pas_____

la co_____

une jon_____

la che_____

2 Dans chaque série, barre l'intrus.

ill	ill	ill	ill
fille	billet	coquille	billard
ville	espadrille	brillant	gentille
pastille	mille	habiller	grille
jonquille	papillon	aiguille	pastille
bille	quille	village	villa

3 Sur chaque paire d'ardoises entoure les deux mots semblables.

fille	file
quille	pile
pille	grill
grille	quille

aiguille	anguille
grillon	griller
papillon	billot
billet	papillon

68

4 Pour chaque phrase, choisis le bon mot. ●

Sur l'autoroute, on doit rouler dans la ⟨ fille / file ⟩ de droite.

Cette petite ⟨ fille / file ⟩ joue à la poupée.

En jouant j'ai gagné une ⟨ belle / bille ⟩ de verre.

5 Dans ce texte, un mot est toujours remplacé par **goudille**.
Découvre quel est ce mot. ●

Une goudille sert à jouer. La goudille est petite et ronde.

Il y a des goudilles en verre, en terre et en agathe.

À la récréation, les enfants jouent souvent aux goudilles.

Une **goudille,** c'est une _____ .

6 Souligne tout ce que doit faire un petit fantôme bien élevé. ● ● ● ● ● ● ● ● ● ●

Il doit effrayer les gens. Il doit taper dans les murs.

Il doit jouer gentiment avec les enfants.

Il doit piller les caves des châteaux.

Il doit aider ses amis.

7 Recopie la phrase en mettant à leur place les deux mots en gras. ● ● ● ● ● ●
beau/vilaine   La chenille deviendra un papillon.

_____

ail
aille
séquence 79

1 Colorie les cadres des mots quand tu entends « ail ». ● ● ● ● ● ● ● ● ● ●

| travail | aile | caillou | écaille |
| détail | éventail | métal | maille |

2 Complète les mots avec **ille** ou **aille**. ● ● ● ● ● ● ● ● ● ● ● ● ● ● ● ●

la p _caille_

une b _ille_

une méd _____

le t _____ - crayon

3 Barre le mot encadré s'il n'est pas dans la liste. ● ● ● ● ● ● ● ● ● ● ● ●

maillet	caillou	maillot	rail
paille	maillot	caillou	maille
maille	CAILLE	maille	rail
taille	caillou	maillot	RAIL
caillou	paille	maillon	BAIL
maillon	MAILLE	maillet	paille
maillot	rail	paille	RAIL

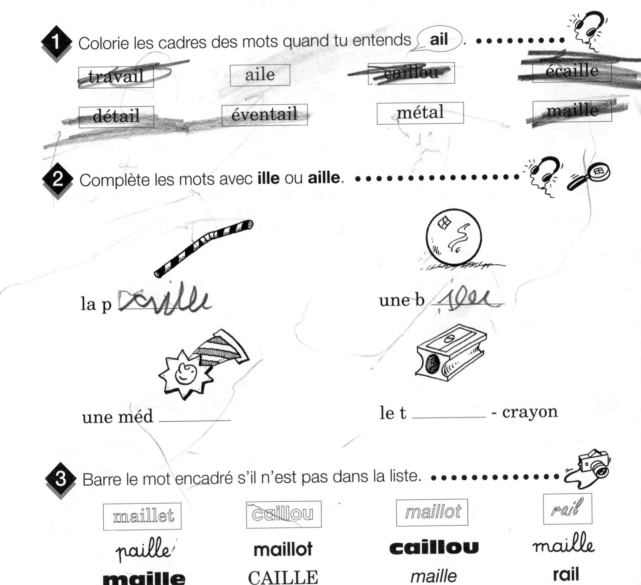

70

4 Pour chaque phrase, choisis le bon mot. ••••••••••••••••••••••••••

Je
bâille
taille
car j'ai envie de dormir.

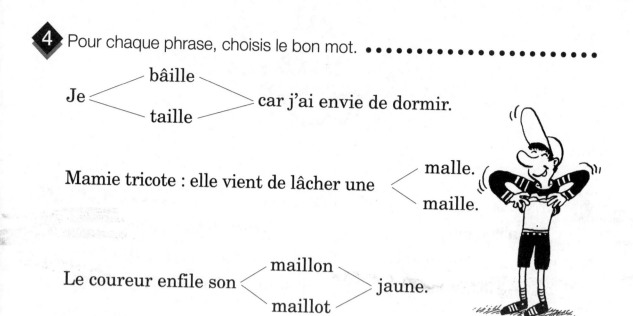

Mamie tricote : elle vient de lâcher une
malle.
maille.

Le coureur enfile son
maillon
maillot
jaune.

5 Comme sur le modèle, entoure le mot qui veut dire la même chose que le mot en **gras**. ••••••••••••••••••••••••••••••••••••••

Le petit fantôme **entrebâille** la porte du château.

ferme (*entrouvre*)

Le fantôme **pose** une pancarte sur le portail.

enlève   accroche

6 Lis ces deux textes et retrouve leurs auteurs : **Le prince, La princesse**.

Quand je suis allée visiter ce château, je ne m'attendais pas à rencontrer un aussi beau prince. Je suis tombée amoureuse de lui et je suis devenue sa femme.
Signé :

Quand la princesse est venue chez moi, je l'ai trouvée très mignonne. Je ne savais pas quoi lui dire. Heureusement, mon ami le fantôme m'a aidé. J'ai fini par me marier avec elle.
Signé :

71

eil
eille
séquence **80**

1 Trouve la rime qui convient. ••••••••••••••••••••••••

ail ou **eil**   **aille** ou **eille**

Quand sonne mon rév**eil**,   Elle a perdu sa méd**aille**

j'ai encore bien somm ____ .   au milieu d'un tas de p ____ .

Si tu veux un bon cons**eil**,   J'ai ramassé des gros**eille**s

n'achète pas cet appar ____ .   pour les mettre dans ma corb____ .

Il a déchiré son chand**ail**   Fais attention à cette ab**eille**

en réparant notre port ____ .   elle pourrait te piquer l'or ____ .

2 Classe ces mots dans le tableau. ••••••••••••••••••••

oreille - abeille - réveil - corbeille - sommeil - pareil.

je vois *eil*	je vois *eille*

3 Dans chaque série, entoure le mot qui correspond au dessin. •••

pareille
oreille

corneille
corbeille

éveil
réveil

4 Comme sur le modèle, entoure le mot qui veut dire le **contraire** du mot en gras. ●

J'ai vu une **petite** abeille.   *gentille*   *(grosse)*

Cette nuit, j'ai fait un rêve **merveilleux**.   *superbe*   *horrible*

Ma grand-mère est **vieille**.   *jeune*   *âgée*

Cette bouteille de limonade est **pleine**.   *remplie*   *vide*

5 Réponds aux questions. (Pense à l'histoire.) ● ● ● ● ● ● ● ● ● ● ● ● ● ● ●

Quel animal s'est approché de l'oreille d'Arthur ?

C'est _____

Qui sommeille dans la paille ?

C'est _____

Qui a écrasé l'appareil photo de Pascale ?

C'est _____

6 Qui a écrit ces textes : l'abeille - Rachid - Arthur ? ● ● ● ● ● ● ● ● ● ● ● ● ●

J'avais senti une délicieuse odeur de fruit qui venait d'une corbeille. Je me suis approchée en volant doucement. Tout à coup, une espèce de monstre géant s'est mis à taper partout avec sa chaussure. Alors je suis partie très vite vers ma ruche.
Signé :

Une fois de plus, heureusement que j'étais là. Figurez-vous que je dormais quand une affreuse abeille m'a réveillé. Aussitôt, j'ai pris ma chaussure, et je l'ai menacée. L'abeille a eu peur et elle s'est sauvée.
Signé :

Que j'ai mal à mon orteil ! C'est encore de la faute d'Arthur ! Il aurait dû laisser cette petite abeille tranquille ! Mais non ! il a fallu qu'il tape partout avec sa chaussure et finisse par m'écraser le gros orteil.
Signé :

euil euille
séquence 81

1 Choisis parmi ces mots ceux qui conviennent pour la rime :

soleil - chevreuil

Le petit écur**euil**
a vu un beau ~~chevreuil~~

Moi, mon rév**eil**,
c'est le _____ .

chèvrefeuille - corbeille

La petite a**beille**
vole vers la _____ .

Moi, j'aime la **feuille**
du _____ .

2 Mets ensemble les mots de la même famille en les entourant comme sur le modèle.

(**cueillir**
cueillette recueillir)   feuille   feuilleter   chèvre   chevreau
feuillage   feuilleton   chevreuil

3 Entoure ou souligne les mots comme sur le modèle.

| feuille | (écureuil)   oeil

feuille   feuille   écureuil   orgueil   écureuil   oeil   cueille

oeil   feuille   écureuil   feuille   écureuil   cueillette   feuille

74

4 Entoure le mot qui veut dire la même chose que le mot en gras.
Souligne celui qui veut dire le contraire. ●●●●●●●●●●●●●●●●●●●●●●●●●

Ce petit écureuil **grimpe** à toute vitesse.

        monte   *descend*   *grignote*

Tu cueilles un **gros** champignon.

        énorme   *rouge*   *minuscule*

Ce bouvreuil vole très **vite**.

       haut   *rapidement*   *lentement*

5 Complète ce texte avec des mots de l'histoire,
puis réponds aux questions. ●●●●●●●●●●●●●●●●●●●●●●●●●●●●●

Dany est _____ dans la classe.

Il ne peut pas _____ .

Une _____ est organisée.

Arthur va l'aider en poussant son _____ .

C'est la maîtresse qui donne le _____ du départ.

1. Comment s'appelle le petit nouveau de la classe ?

Il _____

2. Pendant la course, combien de fois faut-il faire
le tour de la cour ?

Il _____

75

ouil
ouille

séquence 82

1 Choisis les bons mots pour les rimes. •••••••••••••••

billes - citrouille

La jolie gren**ouille**
saute sur une _citrouille_.

Cette petite **fille**
a joué aux _billes_ .

chatouille - déshabille

Quand le soleil br**ille**,
je me _biller_ .

La pluie me m**ouille**
et me _citrouille_

2 Dans chaque série barre le mot intrus. ••••••••••••••••••••

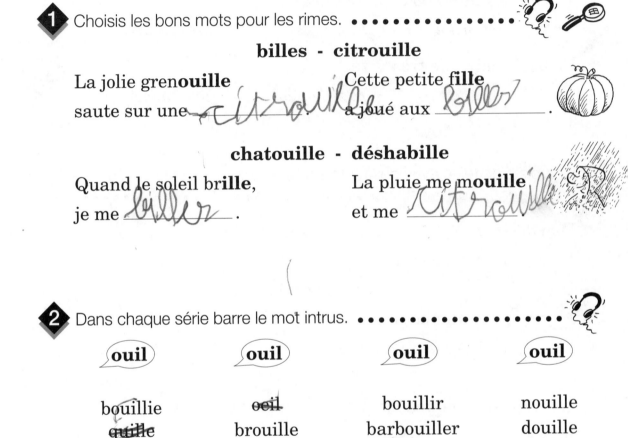

ouil	ouil	ouil	ouil
bouillie	~~œil~~	bouillir	nouille
~~quille~~	brouille	barbouiller	douille
rouille	douillet	~~boule~~	bafouiller
mouiller	andouillette	brouillon	brouillon
fouille	bouillon	chatouiller	~~briller~~

3 Retrouve les familles de mots. ••••••••••••••••••••••

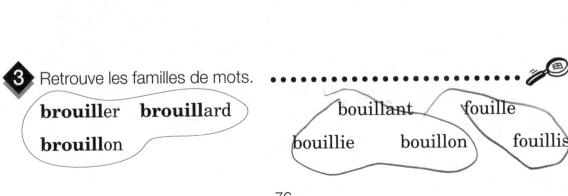

brouiller   **brouill**ard
brouillon

bouillant   fouille
bouillie   bouillon   fouillis

76

4 Complète ces textes avec des mots de l'histoire
puis réponds aux questions. •••••••••••••••••••••••

Arthur pousse Danny. Il ~~double~~ tout le monde.

Il file comme le ~~vent~~

Hélas, il se prend les ~~pieds~~ dans la ~~robe~~ de Gafi

et il tombe.

course

Finalement, Danny a terminé la ~~roue~~ tout seul

en poussant lui-même sur les ~~roues~~

de son ~~f~~_____ . Il est même arrivé le _____ .

Qui est venu au secours d'Arthur ? C'est _____ .

Qui est le vainqueur de la course ? C'est _____ .

5 Mets une **X** quand on parle de **Danny** et un **O** quand on parle
des **spectateurs**. ••••••••••••••••••••••••••••••

Danny passe devant **les spectateurs. Ils lui** crient : « Bravo ! »
   X   O   O   X

Les spectateurs applaudissent **Danny. Il les** remercie.

Danny avance vers **les spectateurs.**

Il se met au milieu d'**eux** et **il leur** parle.

cs gz
X
séquence 83

1 Classe les mots dans le tableau. •

boxe - exercice - exemple - exagérer - exprès - exact - fixer.

j'entends x → taxi ks	j'entends x → examen gz

2 Dans chaque valise, il y a deux mots. Retrouve-les. • • • • • • • • • • • •

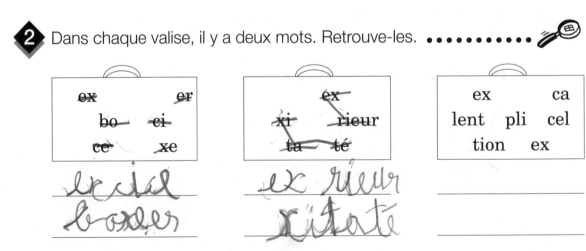

ex	er
bo	ci
ce	xe

exiel
boxer

ex	
xi	rieur
ta	té

ex rieur
xitaté

ex	ca
lent	pli	cel
tion	ex

3 Trouve les chemins des familles de mots. • • • • • • • • • • • • • • • •

croix exactement croisement | **doux** boxeur doucement

exact croiser exactitude | **boxe** douceur boxer

78

4 Lis les deux textes, puis souligne ce qui peut te servir pour répondre à chaque question. ●●●●●●●●●●●●●●●●●●●●●●●●●●●●●●●●●●●●

1. Combien y a-t-il d'enfants dans cette classe ?

L'infirmière est venue pour la visite médicale.

Elle a mesuré les neuf garçons de la classe.

Ensuite, elle a parlé à la maîtresse.

Puis elle s'est occupée des douze filles.

Enfin, elle a rangé ses affaires et elle est repartie.

2. Combien Arthur a-t-il soulevé d'objets ?

Arthur s'entraîne pour la boxe. Il soulève des choses très lourdes.

D'abord, il prend trois sacs de cailloux. Il les repose.

Puis, il attrape cinq gros poids en fer. Il les repose.

Enfin, il saisit une table en bois.

Tous ses amis trouvent que c'est extraordinaire.

5 Relis les deux textes ci-dessus. Entoure en bleu la réponse à la question n° 1, en rouge celle à la question n° 2. ●●●●●●●●●●●●●●●●●

Il y a beaucoup d'enfants dans cette classe.

Il y a vingt et un enfants dans la classe.

Arthur a soulevé neuf objets.

Arthur est très fort.

séquence **84**

Cette séquence renvoie aux activités proposées dans le guide pédagogique séquence 84.

Les légumes sont une grande famille

On en trouve *dans* la terre et *sur* la terre.

Un légume peut être *long* comme un po 🌴 reau ou

comme un concombre. Certains légumes sont *petits* comme

le rad 🌱 s et comme le petit pois, ou **gros** comme

la citrouille.

D'autres sont *ronds* comme une t 🍅 mate ou

comme un ch 🥬 u.

On trouve des légumes orange comme la carotte et comme

le p 🎃 tiron. D'autres sont verts comme le 🫛 aricot et comme

la laitue. Certains sont rouges comme le poi 🫑 ron ou

la betterave ou encore jaunes comme le ma 🌽 s.

Un légume, ça se mange cuit ou cru, en sa 🍴 e ou en

so 🍲 pe, *chaud* ou *froid* . Et quand on a bien mangé

ses *légumes*, on se régale d'un bon **dessert** !

◆ Maintenant, à toi d'écrire ton propre texte.
Tu pourras décorer certaines de ses lettres.

Les ....

Les .... sont une grande famille ! On en trouve

dans .... et ....

Un .... peut être long comme ....

Certains .... sont petits comme .... ou

gros comme ....

D'autres sont ronds comme ....

On trouve des .... qui sont .... comme

.... , qui sont .... comme

et comme .... , qui sont .... comme

.... , ou encore qui sont .... comme

....

séquence 85

1 Classe les mots dans le tableau. • • • • • • • • • • • • • • • • • •

gare - koala - zoo - super - examen - exploit - dix - taxi - exemple - dixième

	j'entends g	j'entends k	j'entends s	j'entends z
je vois *g*				
je vois *k*				
je vois *z*				
je vois *s*				
je vois *x*				

2 Regarde bien ce cadre. Combien de fois vois-tu les mots : • • • •

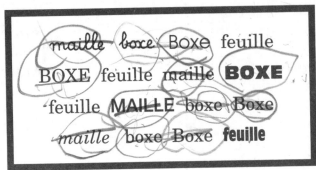

boxe _____ fois

maille _____ fois

feuille _____ fois

Entoure les mots du cadre quand tu les vois dans les listes :

1. boxeur   boxer   boxe   box   boxer   boxe   boxeurs

2. mille   molle   malle   maille   maillon   maille   maillet

3. fouille   fille   filet   feuille   fouille   feuille   feuillet

3 Lis les deux textes puis souligne ce qui peut te servir pour répondre à chaque question. ●

1. Par quelles villes va-t-il passer ?

Gafi part en vacances. Il prend ses valises puis il s'envole.
D'abord, il va à Paris. Là, il monte sur la tour Eiffel.
Ensuite, il passe à Dijon. Il y achète de la moutarde.
Enfin, il arrive à Marseille et là s'arrête son voyage.

2. Qui va-t-il rencontrer ?

À Paris, Gafi verra son cousin Gédéon. Tous les deux,
ils iront au cinéma. À Dijon, il rencontrera son copain Timax.
Ensemble, ils feront une promenade en forêt.
Enfin, à Marseille il se reposera chez sa mamie Gafinette.
De là, il enverra une carte postale à Mélanie.

Entoure en bleu la réponse à la question n° 1, en rouge celle à la question n° 2.

Gafi est allé au cinéma avec son cousin.

Gafi a rencontré Gédéon, Timax et Gafinette.

Gafi a acheté de la moutarde.

Gafi est passé par Paris, par Dijon et par Marseille.

POUR RELIRE DES PAGES DE TON LIVRE

1 Voici un schéma qui rappelle celui de ton livre, mais qui donne plus de renseignements. Entoure ceux qui ne sont pas dans ton livre.

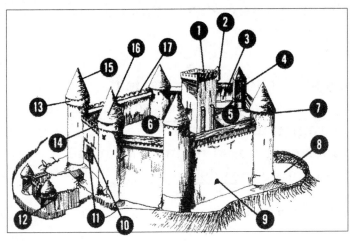

1. Donjon	9. Poterne
2. Échauguette	10. Herse
3. Chapelle	11. Pont-levis
4. Tourelle	12. Barbacane
5. Haute-cour	13. Mâchicoulis
6. Basse-cour	14. Créneaux
7. Hourds	15. Tour d'angle
8. Fossé	16. Tour flanquante
	17. Chemin de ronde

2 Regarde l'illustration ci-contre puis entoure la bonne réponse : vrai (**V**) ou faux (**F**).

Il s'agit d'un château fort. V F

Ce château fort a autant
de tours que celui
de ton livre.   V F

Dans ce château fort,
il y a aussi un donjon.   V F

On voit la herse
de ce château fort.   V F

On voit les créneaux
en haut des remparts.   V F

Les tours ont des toits.   V F

Redonne à chaque dessin sa légende.

légende n° ………

légende n° ………

légende n° ………

légende n° ………

légende n° ………

1. *Les meurtrières de la tour*   **2.** *L'archer va tirer*   **3.** *Un fossé entoure le château*
4. *Sur le chemin de ronde*   **5.** *Le pont se relève*

 Souligne, dans ces deux textes, les renseignements qui te permettent de répondre aux questions.

Où vit la femme du seigneur ?

La femme du seigneur est la « dame » du château. Avec son mari, elle habite le donjon. Elle partage une chambre avec ses filles et les autres femmes de la famille. Entourée de ses servantes, elle tisse et brode. Parfois, elle lit ou écoute chanter un troubadour.

Que mange un riche seigneur ?

À la table d'un riche seigneur, on sert des plats très variés : des soupes et des potages, des viandes grillées et du gibier en sauce bien épicée, des poissons frais ou salés, des fromages, des pâtisseries au miel. Le vin est servi dans des gobelets, des hanaps. Les tranches de pain servent d'assiettes. Les invités ont des couteaux et des cuillers, mais pas de fourchettes.

1 Retrouve parmi ces mots tous ceux de l'affiche. Entoure-les.

VOICI ELEPHANTS MIELE TAMBOURS DONC DEUX
ELEPHANTS MIELE ASSIS DOUX RESISTANCE HAUTE UN
MIELE PAIX PAS PRIS TAMBOUR PAIX
DEUX ELEPHANTS MIEL TAMBOURS VOICI SUR ASSEZ ASSIS

2 Entoure les deux phrases semblables à celles écrites sur l'affiche.

a) TAMBOURS HAUTES RESISTANCES

TAMBOUR HAUTE RESISTANCE

TAMBOUR BASSE RESISTANCE

b) La paix, ça n'a pas de prix.

La paix n'a plus de prix.

La paix n'a pas de prix.

c) Voici deux éléphants assis sur un tambour, c'est un Miele.

Voici deux éléphants assis sur deux tambours dont un Miele.

Voici des éléphants assis sur des tambours dont un Miele.

3 **Vrai** ou **faux** ?

L'affiche indique le prix de la machine à laver Miele. _____

Sur cette affiche, un éléphant lève la trompe. _____

Cette affiche est une affiche publicitaire. _____

86

Dans le texte suivant, entoure ce qu'il est utile de savoir lorsqu'on va acheter une machine à laver.

Cette machine à laver rendra jaloux tous vos amis. Elle a plusieurs programmes. Elle utilise des lessives en poudre. Elle consomme très peu d'électricité et d'eau. Vous serez fier d'avoir cette machine chez vous.

5 Entoure en rouge l'affiche qui fait la publicité pour une voiture, en jaune celle qui fait la publicité pour un biscuit, en bleu celle qui fait la publicité pour une huile.

CHOKINI.
CE COOKIE N'EST PAS ROND,
MAIS VOTRE LANGUE
NON PLUS.

L'huile d'olive Puget emballe tout le monde

Polo Fancy.

Très mode, très fourmi,
très Polo, très Fancy.

Série limitée de Volkswagen.

1 Une onomatopée est un mot qui imite un bruit : **plouf** pour quelque chose qui tombe dans l'eau, **crac** pour quelque chose qu'on casse…

Dans cette série d'onomatopées entoure celles qui sont dans les bandes dessinées de ton livre.

BLONG   TIC-TAC   CRASCH   **BOF**

BOIIING   *OUF*   **BOUM**

SPLATCH

crasch   *GURP*   **splatch**   *glouglou*

plouf   *bing*

meuh

crrrac   *blong*   *ouf*

2 Dans une bande dessinée, au lieu d'écrire, on dessine ce que les personnages pensent. Redonne à chaque dessin la phrase qui l'explique.

○

J'ai une idée !   ①

Je me demande ce qui se passe.   ②

Je suis très en colère.   ③

88

3 Chaque dessin d'une bande dessinée s'appelle une **vignette**.
Dans la bande dessinée "**Panneau de sauvetage**" :

Combien y a-t-il de vignettes ? _____

Dans combien de vignettes vois-tu Couik l'oiseau préhistorique
tout seul ? _____

4 "**Drôle de télé**". Regarde bien et réponds par **vrai** ou **faux**.

Dans cette bande dessinée :

Couik est le personnage principal. _____

Un personnage s'appelle Tantanouk. _____

La télé est une vraie télé. _____

La télé est, en fait, un trou dans le mur d'une grotte. _____

À la fin Couik se moque du monsieur qui a été arrosé par
l'éléphant. _____

5 On a effacé les bulles de quatre vignettes.
Voici des phrases pour les remplacer et changer l'histoire.
Mets chaque phrase à la place qui convient.

Et ça, c'est Krinoline son entraineur.

OÙ EST GALOPAK?

UN PEU DUR COMME MÉTHODE MAIS GALOPAK GAGNE TOUJOURS !

VOICI GALOPAK NOTRE CHAMPION DE COURSE.

"Comment faire" ?
Barre celui des mots qui n'est pas dans la légende de chaque illustration.

1 encre ciseaux gobelet

2 gobelets fleurs tige colorant

3 fleur gobelet tige colorant

2 Entoure les éléments dont tu as besoin pour faire des fleurs couleur d'encre.

des fleurs blanches - des encres de couleur - un pinceau -

de l'eau - du liquide à vaisselle - des gobelets - des ciseaux -

une échelle - de la ficelle.

3 Sur chaque gobelet on a mis l'étiquette de l'encre de couleur qu'il contient. Colorie les fleurs comme il faut.

Mets une croix dans la bonne case.

	vrai	faux	on ne le dit pas
Dans les gobelets, on mélange l'encre et l'eau.			
Les ciseaux servent à raccourcir les tiges des fleurs.			
Chaque moitié de tige prend la couleur de l'encre dans laquelle elle trempe.			
Pour bien voir il faut prendre de l'encre bleue et noire.			
Les vaisseaux qui apportent l'eau dans les pétales sont minuscules.			

 Voici une autre expérience avec des couleurs.

Il te faut :
des ciseaux - des gommettes de différentes couleurs -
un cure-dent en bois - un bol - de la colle - un couteau -
un bouchon - du carton bristol - un crayon.

1. Avec le couteau, coupe deux rondelles dans le bouchon.
2. Trace un cercle sur le bristol en te servant du crayon
et du bol.
3. Découpe ce cercle avec tes ciseaux.
4. Au centre de chaque face du disque obtenu, colle les deux
rondelles de bouchon.
5. Colle une vingtaine de gommettes de différentes couleurs
sur chaque face du disque.
6. Enfonce le cure-dent au milieu des rondelles, tu obtiens une
sorte de toupie.
7. Fais la tourner. Que remarques-tu ?

Voici un alphabet qui « s'écrit » avec les mains.

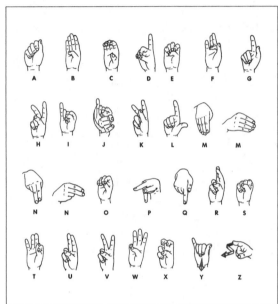

Sais-tu ce qu'ils ont dit ?

Olivier :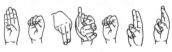

Cécile :

José :

Malika :

Écris ton prénom avec cet alphabet :

Signes tactiles

```
A B C D E F G H I J
K L M N O P Q R S T
U V X Y Z ç é à è ü
```

Voici un autre alphabet qui s'écrit avec des points. On l'utilise pour les aveugles.

Peux-tu lire ce qu'a écrit Pascal ?

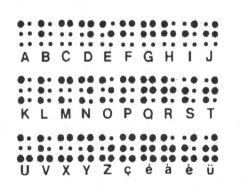

Il y a très longtemps, les Phéniciens ont inventé l'alphabet. Ils l'ont appris aux Grecs qui l'ont un peu transformé.
Les Grecs l'ont appris aux Romains qui l'ont encore transformé.
Enfin, les Romains nous l'ont appris.

phénicien	↞𝟿𝟙ᐱ𝟛𝖸 𝕴ℍ⊗Ζ 𝖸Ɩ𝗐𝗒 Ο𝝥Ϙ𝟜𝗐†Χ
grec	Α Β Γ△Ε ΖΗθ Ι ΚΛΜΝΞΟΠ ΡΣΤΥ
romain	ABCDEFGH I KLMNOPQRSTV
français	ABCDEFGH IJKLMNOPQRSTUVWXYZ

Observe ces quatre alphabets et réponds aux questions.

Combien y a-t-il de lettres :

- dans l'alphabet phénicien ? _____

- dans l'alphabet grec ? _____

- dans l'alphabet romain ? _____

- dans l'alphabet français ? _____

Quelles lettres de l'alphabet français n'existent pas :

- dans l'alphabet romain ? _____

- dans l'alphabet grec ? _____

- dans l'alphabet phénicien ? _____

4 Pour écrire, les Chinois utilisent un pinceau. Voici des caractères chinois.
Prends un pinceau et de l'encre. Essaie d'en reproduire deux.

_____ et _____

Voici l'alphabet :

a b c d e f g h i j k l m n o p q r s t u v w x y z

1 Les lettres écrites comme le a sont des voyelles.

Copie les six voyelles de l'alphabet.

_____

Quand on les lit à haute voix, deux de ces voyelles produisent le même son.

Lesquelles ? ___ et ___ .

2 Toutes les autres lettres sont des consonnes.

Copie les cinq premières consonnes de l'alphabet :

_____

Copie les cinq dernières consonnes de l'alphabet :

_____

3 Entoure en rouge toutes les voyelles dans cette série de mots.

mari   cela   assis   reçu   moral   lys   dur   calot

Entoure en bleu toutes les consonnes de cette autre série :

pavé   but   dur   fil   grâce   mine   vole   sud   coq

4 Grâce à l'alphabet on peut ranger les mots. Pour cela il faut bien connaître la place des lettres.

Quelle est la première lettre de l'alphabet ? ___

La deuxième ? ___ La dernière ? ___ L'avant-dernière ? ___

A B C D E F G H I J K L M N O P Q R S T U V W X Y Z

5 À présent, regarde bien ces cinq colonnes. Dans une seule, les mots ne sont pas dans l'ordre de l'alphabet. Entoure-la.

ami	**a**ssez	**a**bri	**a**utobus	**a**llo
bout	**b**iche	**b**onne	**d**ur	**b**asse
coude	**c**orne	**c**lasse	**c**loche	**c**roix
dire	**d**ouze	**d**rôle	**e**ntrer	**d**ans
enfin	**e**rreur	**e**lle	**b**leu	**e**ncre

6 Peux-tu classer ces mots dans l'ordre de l'alphabet ?

moulin, **p**ouce, **o**urs, **n**id, **q**ui

_____

_____

vache, **r**ose, **t**our, **u**ni, **s**auter

_____

_____

7 Dans ce message secret, on a remplacé les lettres par le numéro de leur place dans l'alphabet : **a = 1   b = 2   c = 3 ...**
À l'aide du tableau ci-dessous, sauras-tu déchiffrer ce message ?

2.18.1.22.15. - 3'.5.19.20. - 20.18.5.19 - 2.9.5.14 - 4.5 - 3.15.14.14.1.9.20.18.5 - 19.15.14 - 1.12.16.8.1.2.5.20

A	B	C	D	E	F	G	H	I	J	K	L	M	N
1	2	3	4	5	6	7	8	9	10	11	12	13	14
O	P	Q	R	S	T	U	V	W	X	Y	Z		
15	16	17	18	19	20	21	22	23	24	25	26		

Le message est : _____

_____

_____

TABLE DES MATIERES

Imprimé en Italie par «La Tipografica Varese Srl»
N° de projet : 10213399 - Février 2015